国家社会科学基金“十三五”规划2018年度教育学重大招标课题
“建设教育强国的国际经验与中国路径研究”阶段性研究成果
辽宁省高等学校创新团队项目“东北亚高校内部治理的比较研究”阶段成果

全球教育治理研究系列

俄罗斯教育治理研究

A Study of Education Governance in Russia

主 编 周洪宇 副主编 王建梁
乔桂娟 著

长江出版传媒 | 湖北教育出版社

(鄂)新登字 02 号

图书在版编目(CIP)数据

俄罗斯教育治理研究/乔桂娟著.
—武汉:湖北教育出版社,2020.6
(全球教育治理研究系列)

ISBN 978-7-5564-2072-8

Ⅰ.①俄…
Ⅱ.①乔…
Ⅲ.①教育管理-研究-俄罗斯
Ⅳ.①G551.26

中国版本图书馆 CIP 数据核字(2020)第 049808 号

俄罗斯教育治理研究 ELUOSI JIAOYU ZHILI YANJIU

出品人	方 平	策 划	刘 艺
责任编辑	刘 宁	责任校对	王艳波
封面设计	牛 红 何亦明	责任督印	张遇春

出版发行	长江出版传媒	430070 武汉市雄楚大道 268 号
	湖北教育出版社	430070 武汉市雄楚大道 268 号
经 销	新 华 书 店	
网 址	http://www.hbedup.com	
印 刷	湖北恒泰印务有限公司	
地 址	武汉市江夏庙山开发区汤逊湖工业园	
开 本	710mm×1000mm 1/16	
印 张	12.5	
字 数	175 千字	
版 次	2020 年 6 月第 1 版	
印 次	2020 年 6 月第 1 次印刷	
书 号	ISBN 978-7-5564-2072-8	
定 价	60.00 元	

总　序

站在人类历史拐点探求全球教育治理之道

当我们把目光做一个转向聚焦，跳出教育，纵观世界，我们会惊奇地发现当今人类历史发展已处在新的拐点处——第四次工业革命正扑面而来，势不可当。这将给人类社会带来前所未有的系统而深刻的变革，也无疑会成为下一个时代教育的起点，并促使教育的变革与发展也随之迎来新的拐点。第四次工业革命的车轮驱动着全球化、新工业化、生态化、智能化和数据化时代滚滚向前，对教育发展变革，尤其是教育治理，带来了前所未有的冲击与挑战。这是全球教育治理以及中国教育治理必须构建的宏观视野。

一、人类历史拐点与教育发展的十字路口

在人类社会发展的历史长河中，技术革新和传播持续推动着人类创造新的世界。从农耕时代到工业时代再到信息时代，人类历史不断从一个阶段迈向另一个阶段。信息时代是人类正在经历的发展阶段，这个阶段无疑只是人类漫漫历史征程中的一个特定时期。未来，人类将走向何方？还可以走多远？

历史上，工业革命是指工业化进程中所发生的重大变革。新的制造工具的应用，推动了工业发生根本性的变革，引起了工业从旧质飞跃到新质，使国民经济的产业结构发生了重大的变化，进而使经济社会各方面出现了崭新面貌，推动了人类社会发展的进程和文明的程度。[①] 人类进入工业文明阶段后至今已经发生了三次工业革命。从18世纪第一次工业革命的机械化，到19世纪第二次工业革命的电气化，再到20世纪第三次工业革命的信息化，一次

① 周洪宇. 周洪宇论第三次工业革命[M]. 武汉：湖北教育出版社，2014：215.

次颠覆性的科技革新，带来社会生产力的巨大解放和生活方式的大变革，从根本上改变了人类发展的历史轨迹。

统观前三次工业革命，可以发现它们对世界发展格局都产生了巨大影响。一是都极大地促进了社会生产力的发展，带来了工业布局的新变化。第一次工业革命随一波创新浪潮而来，例如蒸汽机和棉纺机的发明。它伴随着一次历史性剧变，带来许多系统性的变化，如城市化、大众教育和农业产业化等。第二次工业革命的核心是电气化和大规模生产，为世界带来了全新的社会模式和生产方式。第三次工业革命，以电子、信息技术和网络为核心，也被称为数字革命，在过去的七十多年，实现了生产的自动化，世界互联互通，使传统的物理世界彻底颠覆。二是都引起了社会关系的重大变革。第一次工业革命导致近代社会工业无产阶级和资产阶级产生，并开启了大规模的城市化进程。第二次工业革命致使垄断组织出现，并与国家政权结合，使自由资本主义过渡到垄断资本主义。第三次工业革命使国家垄断资本主义强化，第三产业比重上升。三是都对世界格局产生巨大影响。第一次工业革命确立了资本主义对世界的统治，殖民扩张造成东方从属于西方。第二次工业革命最终形成资本主义世界体系、殖民体系，世界成为一个密不可分的整体。第三次工业革命推动了国际经济结构的调整，全球化加速，世界各国经济相互依存，联系日益紧密。相较农耕文明时代而言，工业文明时代的人类更深刻地改变和影响了地球。第一、二次工业革命所创造的财富与统治力所向披靡、无可抵挡。第三次工业革命呈现了信息技术革命、生物技术革命等新形态，表现为新能源、新技术、新材料与互联网的融合、创新和运用。① 它继续推进及强化了人类对自然的改造和控制力。

进入21世纪，科技推动社会飞速发展，大数据、人工智能、云计算等前沿技术不断取得突破，新技术、新业态、新产业层出不穷。这些因素促使第四次工业革命浪潮汹涌而至，这是一场更大范围、更深层次的科技革命和产业变革，即将深刻改变人类社会的发展进程。“第四次工业革命论”首倡者、世界经济论坛主席克劳斯·施瓦布所著的《第四次工业革命》一书认

① 周洪宇.周洪宇论第三次工业革命[M].武汉：湖北教育出版社，2014：218.

为这场革命正以前所未有的态势向我们席卷而来。其发展速度之快、范围之广、程度之深丝毫不逊于前三次工业革命。第四次工业革命的核心是智能化与数据化，它将数字技术、物理技术、生物技术有机融合在一起，即通过技术融合消除数字世界、物理世界和生物世界之间的界限。[①]因此迸发出强大的力量，对我们的经济和社会产生深刻影响。可植入技术、数字化身份、物联网、3D打印、人工智能、区块链、大数据、纳米技术、生物技术、材料科学、能源储存、量子计算等技术变革同步进行，融合形成一个高度灵活、人性化、数字化的产品生产与服务模式。与前三次工业革命不同，本次工业革命呈现出指数级而非线性的发展速度。原因在于我们目前生活在一个万物互联的世界，而且新技术也在不断催生更新、更强大的技术。创新的发展速度和传播速度比以往任何时候都快。这是一场深刻的系统性变革。它不仅从根本上改变了我们的生活、工作以及相互之间的关系，更改变了整个社会和我们的身份。

这些变革让各国、各类组织、人与人之间的利益和命运紧密相连，深度交融。我们认识和理解这次革命需要跨界思维。这次革命在推动生产力水平提高、物质丰富的同时，也将从速度、深度、广度上给个人以及经济、政治、社会和文化的发展带来新的冲击和变化、机遇与挑战。然而，世界经济新旧动能转换尚未完成，南北失衡等深层次、结构性问题还未消除。地缘政治冲突此起彼伏，保护主义和单边主义愈演愈烈。[②]这些问题与第四次工业革命带来的冲击合流，将成为影响世界和平与发展的不稳定因素。这正是我们今天所处的时代，是我们正面临的人类发展的历史拐点。

第四次工业革命和伴随着它的系统性变化，将会比以往任何时候都更加强调合作参与，要求进一步改变协同参与的方式，要求我们共同构想自己将要创造的未来。面对全球发展对沟通、合作越来越多的需求和依赖，每个国家都应该积极推进开放分享。德国政府在《德国2020高技术战略》中提出的

---

① World Economic Forum. The Fourth Industrial Revolution, by Klaus Schwab [EB/OL].[2020-01-14]. http://www. weforum. org/about/the-fourth-industrial-revolution-by-klaus-schwab.

② 习近平. 让美好愿景变为现实——在金砖国家领导人约翰内斯堡会晤大范围会议上的讲话[N]. 人民日报，2018-07-27（3）.

十大未来项目之一——工业4.0，旨在提升制造业的智能化水平，建立具有适应性、资源效率及基因工程学的智慧工厂，在商业流程及价值流程中整合客户及商业伙伴。其技术基础是网络实体系统及物联网。这是发达国家对第四次工业革命的积极回应。

全人类历史拐点的出现，把正在现代化建设道路上奋力前行的东方第一大国——中国再一次推到了历史的十字路口。前两次工业革命的缺席，使中国没有赶上西方的工业化进程，而成为工业化的后发国家。从中华人民共和国成立后的第一个五年计划起，中国在工业基础十分薄弱的条件下，开始了以工业化为核心的现代化征程。经历了从传统的社会主义工业化道路到改革开放后的中国特色社会主义工业化道路的转型，中国工业化取得了巨大的成就，中国已经从农业经济大国转变为工业经济大国。但它的工业化仍然没有完成，工业化进程仍在途中。今天，正当中国即将快速跨入工业化国家行列之际，人们眼前却横出一块“工业文明将就此止步”的警示牌，令中国蓦然站在时代大转型的历史关口。

站在人类历史拐点处，中国该何去何从？作为全球化进程的重要参与者，当前的中国也面临着经济、社会转型等重大问题。中国经济已由高速增长阶段转向高质量发展阶段，正处在转变发展方式、优化经济结构、转换增长动力的攻关期，迫切需要抓住第四次工业革命的机遇，寻找可持续发展的原动力。

放眼全球，人类正面临百年未有之大变局。基于互联网技术的智能化、数据化高度融合的第四次工业革命已经来临。我们不仅需要反思我们的经济、社会和政治体制，还需要反思我们的教育是否能够适应和引领这场深刻的变革，反思教育这把钥匙能否打开一扇可以让我们看到希望和未来的思考之门。

二、全球化新文明时代的教育治理

如果说告别工业化社会、迎接第四次工业革命带来的新文明是人类走出当前困境的必由之路，那么，由此催生的全球化时代则使全球治理成为现实。正在蓬勃发展的全球治理实践给全球教育治理带来了新的动力，进一步推动了全球教育治理的发展。

21世纪，随着全球化、区域一体化进程的持续发展，人类日益成为一个命运共同体。以人工智能、数据化等深度融合为标志的第四次工业革命让这种趋势愈发加速。人工智能及相关技术带来的安全和治理挑战是需要全人类共同面对的问题。同时，人类还面临许多领域的问题，如核威胁、气候变化、环境污染、疾病流行等。这些问题一旦爆发，各国很难独善其身。这就需要各国具备全球视野，协同合作，共同解决这些问题。“人类的政治生活正在发生重大的变革，其中最引人注目的变化之一，便是人类政治过程的重心正在从统治（government）走向治理（governance），从善政（good government）走向善治（good governance），从政府的统治走向没有政府的治理（governance without government），从民族国家的政府统治走向全球治理（global governance）。”[①]全球治理是国际体系中以主权国家为核心的各个行为体共同合作，通过正式制度和非正式制度安排，协调各自利益和政策，以应对全球化时代人类社会必须面对的各种跨国的全球性挑战，并支持各个国家实现国家治理水平提升的活动。从中国的角度看，全球治理与国家治理是当代中国两大战略考量。日渐崛起的当代中国，经济总量居于世界前列，成为世界经济增长的新引擎，国际社会赋予中国更多责任与希望。中国积极参与全球治理，有助于澄清当下国际社会对中国的质疑与误解，表明当代中国的担当，有助于化解国际社会对中国“参与不足”的指责，表明当代中国维护人类共同利益、推进人类共同进步的理念与追求，有助于赢得国际社会的尊重，从而引领着人类的发展。

教育治理是全球治理的一个重要组成部分，也是国家治理的具体内容。全球治理和国家治理的推进势必促进教育治理的发展。第四次工业革命必将深刻改变人类的学习方式和生活方式，引发人们对于“人”的价值的进一步思考。教育和教育治理的理念、规则、方式也不可避免地要受到影响和冲击。世界银行发布的年度旗舰报告《2018年世界发展报告：学习以实现教育的承诺》(World Development Report 2018：Learning to Realize Education’s

---

① 俞可平. 全球治理引论[J]. 马克思主义与现实，2002（1）.

Promise)指出，全球教育面临“学习危机”——上学却没学到知识，这不仅是浪费发展机遇，也是对全世界儿童和青少年的巨大不公。造成“学习危机”的一个重要原因就是低效的教育管理和治理。

近年来，全球教育治理的理念正在出现新的变化。2015年年底，联合国教科文组织发布了一份新的研究报告《反思教育：向“全球共同利益”的理念转变？》（Rethinking Education: Towards a Global Common Good？）。这是联合国教科文组织成立七十多年以来，继1972年出版的研究报告《学会生存：教育世界的今天和明天》（Learning to Be：The World of Education Today and Tomorrow，又称《富尔报告》，即Faure Report）和1996年出版的研究报告《教育——财富蕴藏其中》（Learning：The Treasure Within，又称《德洛尔报告》，即Delors Report）之后，又一份非常重要的报告。联合国教科文组织总干事伊琳娜·博科娃在这一报告的《序言》中开门见山地写道：“我们在21世纪需要怎样的教育？在当前社会变革的背景下，教育的宗旨是什么？应如何组织学习？本出版物的思想便是因这些问题有感而发。”她继而写道：“我确信，我们今天需要对教育再次做出高瞻远瞩的思考。”博科娃认为“再没有比教育更加强大的变革力量”。她进而强调“教育促进人权和尊严，消除贫穷，强化可持续性，为所有人建设更美好的未来”，“教育以权利平等和社会正义、尊重文化多样性、国际团结和分担责任为基础”。她最后指出：“我们必须高瞻远瞩，在不断变化的世界中重新审视教育。”这种重新审视的结果就是我们21世纪的教育应该向“全球共同利益”的理念转变。可以断定，这份报告必定像前两份报告那样对世界教育的发展产生重大影响。

随着全球一体化进程加速，全球性教育问题（如教育不平等、“学习危机”等）将持续存在而且有复杂化的趋势。通信技术、信息技术和互联网技术的飞速发展，也让教育领域的许多问题，如信息技术背景下的核心素养、信息技术教育、教育与经济同步发展、教育与创新等，成为具有全球性特质的难题。要解决这些问题，客观上要求全球教育治理这一理念、方式及行动在世界各国教育领域中发挥越来越重要的作用。它要求世界各国站在全球的高度，运用现代治理的理论和理念，以主权国家为主体，充分运用国际政府组织、国际非政府组织、公民社会等的力量，寻求问题的最佳解决方案。教育领域已显现了全球化的负面影响，需要更有效的全球治理。①世界主要国家，国际组织如联合国教科文组织、世界银行、经合组织、联合国儿童基金会、二十国集团、全球教育合作组织等，全球知名智库如卡耐基教学促进会、布鲁金斯学会、兰德公司、澳大利亚教育研究委员会等，都是参与全球教育治理的行为主体。它们正通过各种方式介入全球教育领域的治理。全球教育治理是顺应时代发展趋势的一种新型治理理论，如何从参与全球教育治理的诸多行为主体的行动中总结全球教育治理的实践经验、提炼理论，如何运用其推动全球教育的发展，成为当前迫切需要研究的课题。

当前，中国正处于推进国家治理体系与治理能力现代化建设的关键阶段，教育领域也不例外。中国实行改革开放的国策，把自身置于世界的开放体系之中。改革开放推动中国教育取得了举世瞩目的巨大成就，教育同步助力改革开放走向更高水平、更高层次。与此同时，教育也面临着新的更大的机遇与挑战。党的十九大确定了中国发展新的历史方位——中国特色社会主义进入了新时代。新时代的社会主要矛盾发生了变化，教育领域的主要矛盾集中体现为人民对优质教育日益增长的需求与教育发展的不平衡不充分之间的矛盾。2019年2月，中国颁布了《中国教育现代化2035》和《加快推进教育现代化实施方案（2018—2022年）》，明确了未来一段时期中国教育发展的总体思路、战略任务、实施路径与保障措施。《中国教育现代化2035》提出对内要“加快推进教育现代化、建设教育强国，办好人民满意的教育”，对外则是要开创教育对外开放新格局，“积极参与全球教育治理，深度参与国际教育规则、标准、评价体系的研究制定。推进与国际组织及专业机构的教育交流合作。健全对外教育援助机制”。②文件方案的出台标志着中国教育现代化走向新时代、新目标和新征程。③推进教育现代化、建设

---

① 卡伦·芒迪. 全球治理与教育变革：跨国与国际教育政策过程研究的重要性[J]. 申超，译. 北京大学教育评论，2011（1）.

② 中共中央、国务院印发《中国教育现代化2035》[N].人民日报，2019-02-04（1）.

③ 周洪宇，刘大伟. 中国教育现代化走向新时代新目标新征程[N]. 中国教育报，2019-04-01（1）.

教育强国和参与全球教育治理势必对教育治理的理念、体系、制度、内容、方法等提出新的要求。当前，中国已置身于第四次工业革命主导的全球化、智能化、数据化、信息化、生态化时代，教育治理理念也将升级换代。第四次工业革命这一全人类共同面临的巨大变革，同样对不断深化改革、扩大开放的中国产生影响，也对中国的教育治理提出全方位挑战。对于当今的中国而言，建立现代教育治理体系、完善学校内部治理结构、推进教育治理体系与教育治理能力的现代化，不仅是重要的，而且是十分紧迫的时代任务。2019年10月召开的中共十九届四中全会通过了《中共中央关于坚持和完善中国特色社会主义制度、推进国家治理体系和治理能力现代化若干重大议题的决定》，提出要把我国制度优势更好地转化为国家治理效能，具体在教育领域，要“发挥网络教育和人工智能优势，创新教育和学习方式，加快发展面向每个人、适合每个人、更加开放灵活的教育体系，建设学习型社会”。十九届四中全会关于教育的论述及时地回应了第四次工业革命给教育带来的机遇和挑战，为国家教育现代化指明了方向。同时，参与全球教育治理亦是中国由教育大国走向教育强国的必由之路。中国由教育大国向教育强国迈进的征程中，在努力实现本国教育现代化的同时，秉持共商共建共享的全球治理观，积极参与全球教育治理，为人类社会贡献中国特色的教育智慧、教育治理方案和力量，既是中国的使命，亦是担当，更是走向教育强国、负责任大国的必然选择。[①]研究国家教育治理及全球教育治理的理论、实践、经验及教训，成为中国教育学术界的当务之急。

三、研究全球教育治理是中国教育学术界的当务之急

作为当代中国怀抱着理想、洋溢着激情、时刻关注着中国乃至人类命运、富有社会责任感和历史使命感的学术研究者，我们有义务也有责任从事教育治理包括全球教育治理的研究工作。作为当下中国主要民间教育智库之一的长江教育研究院及高校教育智库——华中师范大学国家教育治理研究

① 周洪宇，付睿. 参与全球教育治理：从教育大国走向教育强国的必由之路[J]. 世界教育信息，2018（3）.

院的重要成员，我们有义务也有责任从事教育治理包括全球教育治理的研究工作。我们的研究原则是“全球视野，中国本位，问题导向，专业研究”，这与我们智库的定位与目标“立足华中，影响全国，走向世界”，研究风格“全球视野，中国特色，专业能力，实践导向”，以及基本宗旨“民众立场，建设态度，专业视野”等，都是一致的。我们希望通过开展全球教育治理研究，“出思想，出人才，出产品，出效益”，真正发挥学术研究者的作用，推动中国的教育改革和发展，推进中国的教育治理体系与治理能力现代化进程，乃至促进全球教育治理理念、结构与体系的变革。

为此，我们以长江教育研究院、华中师范大学国家教育治理研究院的专家学者为主，同时邀请国内外知名高校的一批国别教育研究专家参与，组织撰写了这套“全球教育治理研究系列”。这套丛书的编写目的，就是要在全球化及第四次工业革命的背景下，探讨全球教育治理的理念、经验教训和趋势，进而讨论中国教育治理的发展道路。丛书涉及三个层面的视角，即超国家层面、国家层面、次国家层面。超国家层面主要研究联合国相关部门、国际组织、大型跨国公司等，分析其对全球教育治理进行研究的成果、形成的研究报告和政策是怎样影响世界各国的。国家层面研究各国在全球教育治理的背景下是如何根据本国国情进行本国国家教育治理的。次国家层面更加中观和微观地审视一个国家各级行政区划内部的教育治理，甚至细化研究一类教育类型的治理或者一所学校的治理。丛书围绕上述三个层面开展研究，力图完整清晰地展示全球教育治理的全貌及其基本特征，为教育研究者、教育工作者提供一个全面深入了解全球教育治理的窗口。

几年前，我在组织编写“教育智库与教育治理研究丛书”（共14册，湖北教育出版社2016年出版）的同时，就已经设想接着要向两头延伸，继续组织编写“全球教育治理研究系列”和另一套“全球教育智库研究丛书”，最终形成“教育智库与教育治理研究”的“三部曲”。为此，2016年编写出版第一套研究丛书后就以第一套丛书的部分作者为基础，本着五湖四海、众志成城的基本原则，在全国物色合适作者，在综合考虑研究能力与研究专长的基础上，最终确定了本丛书各册的写作者。与此同时，由湖北教育出版社牵头积极申报国家出版基金资助项目，“全球教育治理研究系列”成功获批

2017年度国家出版基金资助立项，使后续工作有了良好的开局。

“全球教育治理研究系列”共10册，具体如下：

1.《全球教育治理研究导论》（华中师范大学教授、博士生导师周洪宇，华中师范大学副教授付睿著）

2.《中国教育治理研究》（华中师范大学教授、博士生导师周洪宇，湖北大学教务处副处长、博士后李中伟，华中农业大学教授陈新忠著）

3.《美国教育治理研究》（华中师范大学教授戴伟芬，湖北幼儿师范高等专科学校学前教育系副主任李娜等著）

4.《英国教育治理研究》（浙江大学教授阚阅著）

5.《德国教育治理研究》（华中师范大学副教授岳伟著）

6.《日本教育治理研究》（湖北大学教授赵霞著）

7.《加拿大教育治理研究》（中南民族大学教授汪丞，加拿大布鲁克大学教授、博士生导师路春雷，加拿大布鲁克大学博士后荣文婷著）

8.《俄罗斯教育治理研究》（辽宁师范大学副教授乔桂娟著）

9.《印度教育治理研究》（华中师范大学教授、博士生导师王建梁著）

10.《南非教育治理研究》（华中师范大学副教授李先军著）

“全球教育治理研究系列”有总有分，总分结合，以分为主，由点到面，兼顾发达国家和欠发达国家，覆盖面尽量广一些。其中，《全球教育治理研究导论》主要从超国家层面研究全球教育治理的基本理论，以及重要的国际组织、知名智库、机构参与全球教育治理的理论及其实践，并对中国参与全球教育治理的情况进行梳理分析，试图从整体上建构全球教育治理的一般理论体系，为中国及其他行为主体参与全球教育治理提供理论和实践基础。其他各册以国家层面为主，同时兼顾次国家层面，对全球重要国家的国家教育治理理论及经验进行研究，指出对中国进行国家教育治理及参与全球教育治理的可借鉴之处及启示。

受湖北教育出版社委托，全套图书由我担任主编，提出研究思路，规划整体布局，拟定研究大纲，草拟写作体例，统审系列书稿。比较教育专家王建梁教授担任副主编，协助我联络作者，审改初稿，处理日常事务。我们希望未来在此基础上再组织一套以教育治理不同方面为重点的研究系列，与此套丛书相辅相成，相得益彰。在此，我代表丛书编委会向丛书的各位作者及编辑人员表达诚挚的敬意，向对此套丛书编写出版工作作出指导与提供支持的各界人士表示感谢。由于教育治理研究，尤其是全球教育治理研究，在国内才刚刚起步，基本上没有什么可供参考的论著，完全是靠我们自己的摸索，此套丛书不成熟之处在所难免，还请各位读者不吝指教。

周洪宇

2020年5月1日

目　录

第一章　俄罗斯教育治理的演进

作为教育社会学重要创始人的涂尔干注重在一种历史的框架内来研究教育制度[①]，他认为，要想真正理解任何主题，都必须把它放在机构发展的背景当中，放到一个演进的过程当中。俄罗斯教育治理模式的变化，是对沙皇俄国和苏联时期旧有模式的历史性继承和批判性扬弃。

第一节　东方式教育管理模式的形成：沙皇俄国时期

在英、法、德等西方国家教育发展的历史进程中，教育管理体制改革的经历大体是相同的。这些中世纪时在罗马教廷监护下成长起来的国家围绕宗教信仰自由和国家办学权力问题都曾进行了数百年的十分复杂、有时甚至是非常激烈的流血斗争。通过这种斗争，实现了不同教派的宗教宽容和社会的世俗化，各级公立学校和私立学校，其中包括教会学校也在此基础上获得了很大的发展。国家则通过立法和财政手段对私立学校进行调控与管理，使之适应社会发展的需要。

俄国的经历却与此不同。

一、教会主导教育：18 世纪以前

俄国信仰东正教，其教会原属君士坦丁堡牧首管理，都主教（指重要城市教会的主教，其教职等级仅次于牧首）亦由君士坦丁堡的牧首任命。拜占庭帝国灭亡前夕，俄罗斯正教会在瓦西里二世的支持下于1448年自主召开主教会议，自选俄罗斯人梁赞主教约纳（Иона，？—1461）担任都主教。1453

① 爱弥尔·涂尔干．教育思想的演进［M］. 李康，译．上海：上海人民出版社，2006：导言．

年，拜占庭帝国灭亡后，俄罗斯正教会自命为东正教会的首领。1589年，俄罗斯正教会召开主教会议，选举莫斯科都主教约夫（Иов，？—1607）为第一任全俄牧首，最终脱离了君士坦丁堡牧首的管辖，成为自主教会。①东正教会在与世俗政权的关系上具有不同于以罗马教廷为首的天主教教会的历史传统。在拜占庭帝国时期，它就始终处于从属于世俗政权的地位。“皇帝可任免教会的大主教，召开主教会议，批准宗教会议的决定，并有权解释正教教义等。”②俄罗斯正教会继承与发扬了拜占庭教会的这种历史传统。当然，俄罗斯正教会从属地位的形成也经历了一个民族化的发展过程。俄国的国家教育管理体制正是在这一发展过程中形成的。

在17世纪以前，由于整个社会文化水平低下，俄国的文化教育事业主要是由教会把持的。各阶层人士以教士为师，为数不多的几种学校都是由教会所办，如设在教堂中教授斯拉夫语读写的初等学校；设在修道院中讲授斯拉夫语文法、修辞及教义问答、祈祷、音乐唱诗等神学内容的高级文法学校和希腊—拉丁语学校等。世俗的文化知识教育几乎等于零。17世纪中期，俄国政治形势趋于稳定，政府加快了欧化步伐，与西方国家的政治经济联系扩大，需要掌握外语和世俗知识的人才。在政府的支持下，俄国在17世纪40—60年代已开办多所希腊-拉丁语学校，并准备按照基辅莫吉拉高级学校的模式创办莫斯科的斯拉夫-希腊-拉丁语学院。来自乌克兰、白俄罗斯和希腊的学者在创办这些学校的过程中发挥了重要作用。而作为俄国传统思想、习俗保卫者的东正教会则竭力抵制西方思想的渗透，教会与世俗政权的关系十分紧张。

二、沙皇专制教育领导权：18世纪至19世纪中期

直到18世纪初，彼得一世结束了俄国东正教会与世俗政权的长期斗争。此外，他还采取了一些措施，利用教会的经济收入，使之为国家的需要服

① A.M.普罗霍罗夫. 苏联百科词典［M］. 丁祖永等，译. 北京：中国大百科全书出版社，1986：1559.

② 吴式颖. 俄国教育史——从教育现代化视角所作的考察［M］. 北京：人民教育出版社，2006：163.

务，进一步削弱了教会在俄国的政治影响，加强了沙皇对俄国的全面统治。1764年，叶卡捷琳娜二世更是下令没收了教会和修道院的地产，挖掉了教会独立施加政治影响的经济基础。列宁曾指出：“专制制度是一种最高权力完全的整个的由沙皇一个人独占的管理形式。沙皇颁布法律，任命官吏，搜刮和挥霍人民的钱财，人民对立法和监督管理一概不得过问。”[①]以莫斯科大公和俄国沙皇为代表的世俗政权与俄罗斯正教会长期斗争而形成的政治制度就是这样一种专制制度。18世纪至19世纪中期俄国的教育管理体制与这种政治制度是完全一致的。当彼得一世迫使教会完全从属于世俗政权后，俄国文化教育事业的领导权便随之转到沙皇手中。

1802年前，无论是在中央还是在地方，都没有设立专门的教育管理机构。办什么样的教育，开什么样的学校，传授什么样的知识以及学校规章、制度的制定，等等，一切都是由沙皇发起，或者由他掌控。在这种情况下，国家教育的发展与成效在很大程度上是由沙皇个人的素质、能力和他本人所受的教育决定的，很难保持教育政策的连续性。例如，彼得一世时期，在他的倡议和亲自过问下，政府制订了建立俄国科学院及其附设大学和文科中学的计划；创办了各种为建立强大海军、陆军与冶金工业服务的专业学校和军事学校；进行了创办国立初等普通学校（小学）的尝试；改革了教会教育。各类学校都着重于科学知识和技术的传授。即使在小学，神学课的分量比莫斯科罗斯时代的学校也少得多。由于这些小学的课程除读和写以外，算术和几何所占的比例较大，因而有计算学校之称。因此在彼得一世统治时期，俄国教育不仅有较大的发展，而且具有较强的世俗性。此外，学校的等级性和贵族化在这时候也不十分明显和严格。由于对专业人才的迫切需要，彼得一世创办的专业学校虽然强调对贵族子弟的培养，但也允许除农奴以外的其他各阶层的青少年入学，计算学校更是对他们开放，只有海军学院规定主要招收贵族子弟。后来相继登位的沙皇或者没有受过多少教育，或者年幼无知，或者耽于娱乐、贪图享受，贵族特权进一步扩大。在这种情况下，彼得一世

① 吴式颖．俄国教育史——从教育现代化视角所作的考察［M］．北京：人民教育出版社，2006：165.

时期曾经发展起来的教育网日益萎缩，其先进性也逐渐丧失。根据1737年颁布的法律，贵族子弟义务入学的制度被废除，海军学院被改组为海军士官学院，炮兵学校和工程学校被改组为炮兵和工程贵胄学校。国立初等普通学校入学人数骤然减少。到18世纪中叶，俄国教育完全衰落了。直到18世纪后半期俄国教育才逐渐恢复发展的势头。开始是经伊丽莎白女王批准开办莫斯科大学（1755年），并设立大学附属中学和师范学堂。以后，俄国第一所女子学校的兴办，商业学校的开设，艺术教育的发展，都是与叶卡捷琳娜二世的“开明君主专政”相联系的。而国立初等普通学校的重建却迟至18世纪80年代通过《国民学校章程》才得以实现。

1802年，俄国在亚历山大一世推行改革时成立了中央教育行政管理机构——国民教育部。在1803年颁布的《国民教育暂行章程》（以下简称《章程》）中，提出了建立包括堂区学校、县立学校、文科中学和大学在内的四级学制的要求，并对学校教育的管理做出了初步规划。按照该《章程》，在全国暂时建立莫斯科、彼得堡、喀山、哈尔科夫、维里诺、德尔泊等六个大学区，以后还在基辅等地建立学区。该《章程》要求，在每个学区设立一所大学。大学不仅是一个教学和科研单位，而且负责管理本学区各级学校的行政与教学工作。因此，在各大学的校务委员会中都附设学校委员会，由学校委员会派视察员到各学校巡视，在教学方法上对学校进行指导。该《章程》还规定了各级学校之间的从属关系，即堂区学校服从县立学校巡视员的指导，县立学校服从文科中学校长的指导，文科中学服从大学校长的指导，大学服从学区督学的指导。对任命县立学校的巡视员、文科中学和大学的校长、大学教授的程序，在《章程》中也作了具体规定，并把他们视为国家官吏。鉴于国民教育部的主管范围还包括彼得堡科学院、俄罗斯科学院、印刷业、书刊检查、图书馆、博物馆等，在国民教育部初创时就设立了学校管理总局。学区督学都是学校管理总局的成员。1804年11月5日，由大学附属的学校委员会和学校管理总局的成员参与制定的《大学附属学校章程》发布，其中对文科中学、县立学校和堂区学校的学习年限、办学宗旨、师资配备、教学科目和设备以及对教师和学生的要求、成绩考核等都做出了具体规定。[①]

应该承认，俄国在亚历山大一世推行改革时期进行的教育立法活动，对俄国教育管理的制度化起了十分重要的奠基作用，从而推动了俄国教育的发展。在《国民教育暂行章程》颁布时，俄国只有莫斯科、维里诺和德尔泊学区存在高等教育机构，其中莫斯科大学具有较好的基础。《章程》颁布后，政府迅速按照要求改组了维里诺和德尔泊原有的高等学校，并相继设立了喀山大学（1804年）、哈尔科夫大学（1805年）和彼得堡师范学院（1804年，1816年它被改组为中央师范学院，1819年改为彼得堡大学）。在《国民教育暂行章程》和《大学附属学校章程》中都强调大学对发展国民教育事业的作用，体现了这些法规制定者对教育管理理性化的关注，同时也在一定程度上反映了立法者的民主精神。

但是，沙皇政府很快就发现，上述两项《章程》中的一些规定与专制农奴制度是极不相容的。早在1812年反击拿破仑入侵前，彼得堡学区已开始采取措施，使国民教育制度变成在人民中宣传专制制度意识形态的工具。一些督学竭力贯彻沙皇政府的意图，一方面将军警统治的方法引入学校教育管理，另一方面猛烈地批判教学内容的世俗性质。十二月党人的起义被镇压后，尼古拉一世的政府于1828年和1835年先后颁布《大学所属文科中学和初等学校章程》和《大学章程》。按照《大学所属文科中学和初等学校章程》，1803年建立的四级学制虽然被保留下来，但恢复了办学的等级原则，即文科中学和高等学校主要为贵族设立，平民子弟只能上县立学校和堂区学校；废除了各级学校课程的衔接性原则，为中、下层居民的子弟获得知识设置了种种障碍，强化了文科中学的宗教教育和古典主义倾向；扩大了学校中监视学生和教师行动的官吏的编制，建立了对学校的警宪监视制度。按照《大学章程》，大学失去了领导学区所属学校和建立科学社团的权力，各级学校均划归学区督学直接管辖，并加强了各级地方官吏对教育的监督权。1848年后，沙皇政府对各级学校的管制更加严酷，如，教授在上课之前必须

---

① 吴式颖．俄国教育史——从教育现代化视角所作的考察［M］．北京：人民教育出版社，2006：166.

将讲义的提纲送交有关方面审查。

总之，俄国虽然早在18世纪初期就确立了教育主要由国家办理的制度，19世纪初又借鉴德、法等国的经验建立了相应的学校教育制度和教育管理制度，但由于一直到19世纪中期仍然保持着落后的沙皇专制制度和封建农奴制度，因而不但未能建立民主的教育立法体制，还将军警统治引入教育行政管理，致使学校师生的身心备受摧残，严重地抑制了整个国家文化教育事业的发展。对业已制定的教育法规，沙皇政府又按照君主的意愿不断地加以修改，使之更符合其政治需要，丧失了原有的进步性。

三、落后而混乱的多头教育管理：19世纪60年代至十月革命前

这一时期俄国教育管理体制十分落后，首先表现在其教育立法的程序一如既往，一切教育法令草案必须符合沙皇的意愿并经过他的签署，才能变成正式的法令得以实施。其次表现为限制地方自治机构发展国民教育的作用。根据1864年1月颁布的《地方自治机构条例》，沙皇政权虽然已保证了贵族地主和大资本家在地方自治会议及其执行机关——地方自治局中的优势，但又规定了沙皇行政机关对这些地方自治机关的支配地位，对地方自治机构在国民教育方面的活动范围与作用做出了种种限制。按照1864年亚历山大二世批准的《初等国民学校章程》建立的县和省的学校委员会，负责指导除堂区学校以外的初等学校的教学和教育工作。县学校委员会的成员包括国民教育部的代表（由学区督学委派，通常是文科中学的教师或县立学校的巡视员）、内务部的代表（由省长委派，通常是县警察局长）、宗教事务院的代表（神甫，由主教委派）、两名县地方自治局的代表（在县地方自治会议上选出）和城市自治机构的代表。县学校委员会的主席从委员会成员中选出。县学校委员会还拥有批准开办、迁移、停办初等学校的权力和任免教师的职权。省学校委员会由高级神职人员、省长、省督学和两名省地方自治局的代表组成，由高级神职人员担任委员会主席。省学校委员会主要审议针对本省各县学校委员会的决定和各县学校委员会提出的申诉。从县和省学校委员会的组成来看，沙皇政府的明显意图是使各种势力相互制约，而且有意保证警宪势力对学校的控制，教会代表也比地方自治机构的代表地位高。沙皇政府

还将地方自治局在发展国民教育方面的作用局限在经济方面。也就是说，经县学校委员会的许可，地方自治局可以开办初级学校，并为这些学校提供经费，但禁止它们对学校的教学和教育工作进行指导，而且无权资助中等学校。随着19世纪70年代沙皇政府教育政策的收紧，地方自治局的教育活动进一步受到限制。按照1874年批准的《初等国民学校章程》，县学校委员会主席改由县贵族代表担任，这意味着进一步削弱了地方自治机构在发展国民教育方面的作用。最后还表现为对教会势力的依赖不断加强。自19世纪60年代后期开始，沙皇政府和俄国保守势力就一直把东正教教义和宗教道德作为抵制民粹思想和社会主义影响的有力武器，因而越来越依赖宗教界对教师思想和行为方式以及初等学校教学方向进行监督，并大力支持直接由宗教事务院管理的堂区学校的发展。

以上情况表明，由于1861年废除农奴制改革的极大局限性，这一时期俄国教育管理体制的民主性和理性水平仍然是很低的。沙皇政府不但不能将先进知识界的代表吸收到教育改革与发展的事业中来，而且对他们进行了无情的迫害。对于地方自治机构在发展国民学校方面的活动，沙皇政府不但不给予支持，反而横加阻挠；省、县学校委员会中虽有地方自治局的代表，但他们的作用却受到种种限制，更不要说将国民教育事业交给人民去管理了。由于资本主义工商业发展的需要，商业学校和中等技术学校在19世纪末20世纪初得到了较快的发展，除师范学堂以外，它们分属于工商部、内政部、交通部、司法部、农业部，而不是由国民教育部管理。属于中央教育行政管理的机构除国民教育部、宗教事务院以外，还有军事学校管理局和玛丽亚皇后管理部。[①]中央教育行政管理的多头性是与俄国学校教育等级性特点的继续存在相关的。

① 滕大春．外国教育通史：第4卷［M］．济南：山东教育出版社，1992：316．

第二节　中央集权式教育管理体制的确立与改进：苏联时期

在十月革命胜利之初，出于对沙皇专制主义传统的厌恶和警惕，以列宁为首的俄共（布）和苏俄政府领导人在教育管理方面特别重视发挥地方政权机构和工农群众、广大教育工作者的作用，强调发扬社会主义民主精神。那么，苏俄中央集权的教育管理体制又是怎样形成的呢？

事实证明，俄共（布）在国民教育事业中领导地位的确立和苏俄中央集权式的教育管理体制的形成也是历史的选择。

一、教育管理的地方分权思想

1917年11月9日，全俄中央执行委员会和人民委员会颁布了《关于成立国家教育委员会的法令》（以下简称《法令》），明确表述了教育管理的地方分权思想。例如，在《法令》中规定，“国家教育委员会绝不是管理教学和教育机关的中央政权机关，相反，全部学校事业应交给地方自治机关管理”，“国家教育委员会的职责是起纽带和辅助的作用，在全国范围内确保对市立的和私立的，尤其是对劳动的和阶级的教育机关，给予物质、思想和精神上的支持”。①同时还强调：“教师和社会力量的通力合作，这就是国家教育委员会在自己的全部活动中将要遵循的原则。”②

世俗化、民主化和高效率是苏维埃政权建立新的教育管理体制的指导原则。在国家教育委员会的各界代表中，不包括宗教界的代表。后来，人民委员会又通过了《教育人民委员部关于将教育和教养事业从宗教部门移交给教育人民委员部的决定》（1917年12月11日）和《关于信仰自由、教会和宗教团体的法令》（1918年1月20日）等专门决定，确定了教会同国家分离、学校同教会分离的原则。为了促进教育管理的民主化，国家教育委员会在

① 瞿葆奎．教育学文集·苏联教育改革：上册［M］．北京：人民教育出版社，1993：10.
② 瞿葆奎．教育学文集·苏联教育改革：上册［M］．北京：人民教育出版社，1993：11.

1918年1月做出了废除旧的国民教育管理体制中的学区制的决定，撤销了国民学校管理处和视察处，表明了将地方的国民教育事业移交给各级苏维埃的相应机构统一管理的意向。人民委员会于1918年6月18日颁布了《俄罗斯苏维埃联邦社会主义共和国国民教育事业组织条例》，规定国家教育委员会应定期召开全俄教育代表大会，并把国家教育委员会管理范围内最重要的问题提交代表大会讨论，省国民教育局应定期召开县国民教育局代表会议和全省国民教育活动家代表大会，州国民教育局应定期召集全州国民教育代表大会，这些国民教育方面的政权机构应该向代表大会报告自己的工作，以期集思广益，更好地进行教育改革和发展国民教育。[①]

按照最初的设想，教育人民委员部应该是国家教育委员会的执行机构，其职权包括“直接管理全国性的学术机关和教育机关”，以及“最终裁决在个别教育机关之间产生的争议问题和冲突”等。[②]1918年6月，教育人民委员部部务委员会组成。此前，教育人民委员部已设17个局。由于教育人民委员部的部委委员、各局局长、办公厅主任均为国家教育委员会的委员，他们便同时承担两个机构的职务，参加双方的会议，教育人民委员部和国家教育委员会的领导班子也是一样的，工作显得重叠。1918年7月至9月，俄罗斯苏维埃联邦社会主义共和国第一部学校法，即《统一劳动学校规程》及其说明书《统一劳动学校基本原则》的制定工作基本完成，其间还召开了全俄教育工作第一次代表大会。根据《国民教育事业组织条例》，这些工作属于国家教育委员会的职权范围，国家教育委员会也是完全按照《国民教育事业组织条例》的原则和程序进行这些工作的。但在《统一劳动学校规程》和《统一劳动学校基本原则》的制定工作完成后，国家教育委员会的工作重心转向《统一劳动学校规程》的具体实施和对全国性学术机构与教育机构的直接管理。此时，苏维埃政权急需巩固，国家教育委员会难以发挥自己的领导作用，1918年10月国家教育委员会解散后，教育人民委员部也就成了领导俄罗斯联邦国民教育事业的唯一中央机构了。此后，中央不断完善教育人民委

① 瞿葆奎．教育学文集·苏联教育改革：上册［M］．北京：人民教育出版社，1993：23.
② 瞿葆奎．教育学文集·苏联教育改革：上册［M］．北京：人民教育出版社，1993：22-23.

员部的建制，使之不断适应发展和变化的需要，在地方则是按照《国民教育事业组织条例》的规定将各级国民教育局和国民教育委员会建立起来。

二、从民主集中向过分集权的过渡

苏俄（从1922年12月后为苏联）的中央集权式教育管理体制是在列宁领导时期，在批判无产阶级文化派的历史虚无主义、宗派主义和分立山头的无政府主义错误、整顿无产阶级文化协会的过程中形成的，确立俄共（布）对文化教育事业的领导地位是其主要标志。1920年10月28日，俄共（布）中央政治局通过了列宁拟就的《俄共（布）中央政治局关于政治教育总委员会的决议草案》，其中强调有必要使俄罗斯联邦的全部政治教育工作统一起来，而且着重指出："这一统一只能理解为应保持、加强和扩大的不仅是教育人民委员部党组织的独立自主，而且是该党组织对该部一切部门工作的领导的、指导的和主导的地位。"①

为了改进教育人民委员部的领导作风，真正发挥俄共（布）的领导作用和提高管理效率，以列宁为主席的委员会在制定《教育人民委员部条例》的同时，还以中央名义发出由列宁撰稿的指导性文件——《中央委员会给教育人民委员部党员工作人员的指示》（1921年2月5日）。随后，列宁又写了《论教育人民委员部的工作》一文，对上述指示要点进行详细的阐释。这两个文件的主要精神是：要求有关领导和共产党员正确理解和贯彻党纲中关于国民教育目的任务的规定，正确理解和贯彻党中央有关教育工作的方针、政策和决定；要避免空谈，多做实际工作；要善于领导教师群众，做好教师的思想工作，帮助他们解决工作中的实际问题，要善于同教师友好合作，充分调动和发挥他们的主动性、创造性与积极性；要总结实际经验，并系统地利用这些经验和教训，以利于改进工作；要吸收具有理论知识和丰富实践经验的教育家以及在职业技术教育（包括农业教育）方面具有同样知识的人参加中央和地方教育行政部门的领导工作。

---

① 吴式颖．俄国教育史——从教育现代化视角所作的考察［M］．北京：人民教育出版社，2006：324.

应该指出的是，中央集权式教育管理体制形成初期，俄共（布）中央仍坚持集体领导，民主集中制原则还没有受到严重的破坏，党政不分的现象并不突出。教育人民委员部领导人经常向苏维埃代表大会、中央执行委员会和人民委员会报告工作，由这些最高权力机构及其执行机关就国民教育问题做出决定。在这一阶段并不存在全苏联统一的国民教育领导机构。苏联于1922年成立后，只建立了各加盟共和国和自治共和国教育人民委员会的会议制度，以便互通情报和交流经验，只起咨询作用，各加盟共和国、自治共和国的国民教育还是由它们各自的教育人民委员部管理的。中央集权因此也受到一定的限制。

从1929年起，中央集权式的教育管理体制在苏联正式形成并得到了强化，这与以下几方面因素是有密切联系的。第一，在1929年，斯大林通过“反右倾斗争”牢牢掌握了党、政、军大权，确立了“唯我独尊”的地位。从此以后，一切国家大事由他个人或顺从他的几名政治局成员决定，党政不分问题由此产生。第二，在1929年通过了第一个发展国民经济的五年计划，教育发展的各种指标也被纳入这一指令性的计划之中，成为全苏各级教育管理机构为之奋斗的共同目标。此后的各个五年计划也莫不如此。由上述因素所强化的中央集权式的教育管理体制对苏联教育实践和教育理论所起的作用是复杂和矛盾的。一方面，苏联以极快的速度实现了学校工作重心的转移，并以二十余年的时间（1930—1952年）实现了在全国普及七年制义务教育的目标，为国家培养了大量高级和中级专业技术人才，促进了国民经济现代化的发展，教育也为夺取卫国战争的胜利做出了贡献。另一方面，这种过分的中央集权扼杀了广大教育工作者和教师的主动性、积极性与创造性，阻碍了教育理论的发展和国民教育制度的进一步改善。

三、教育管理的法制化、民主性加强

从20世纪50年代末开始，在苏联逐渐建立了中央教育管理机构，扩充了教育科研机构，提高了教育管理水平。

1959年，苏联高等教育部改组为苏联加盟共和国高等和中等教育部。其主要任务是发展和改进高等和中等专业教育制度，制订高等和中等专业教育远景规划和当前的发展计划的主要指标，在与各加盟共和国高等教育和中等专业教育领导部门协商一致的条件下确定专业名录，并根据各专业的要求制订培养专业人才的教学计划和教学大纲，制订招生章程。科学和教育方面干部的培养工作也是该部主管的重要任务。1974年成立高等教育研究所，加强对高等教育问题的研究。

1959年，国家职业技术教育委员会成立，加强了对职业技术教育的统一规划与领导。

1966年，苏联教育部成立。与此同时，苏俄教育科学院也扩建为苏联教育科学院。苏联教育部是主管学前教育、普通教育、校外教育和师范教育的中央机构。它在教育科学院的有力配合下完成各项任务。

为了改进对国民教育事业的领导，早在20世纪60年代至70年代中期，由苏联部长会议颁布了各级各类学校的条例，由苏联高等和中等专业教育部、苏联教育部就一些比较具体的教育问题、教育机构的工作程序问题发布了一些命令，制定了一些章程。1972年，苏共中央和苏联部长会议联合颁布了《关于进一步改进职业技术教育制度》的决议。

1973年7月19日，苏联第八届最高苏维埃第六次会议通过的《苏联各加盟共和国国民教育立法纲要》（以下简称《立法纲要》），既是前一阶段发展和管理国民教育事业的总结，又为进一步发展和管理国民教育事业提供了新的法律依据。该《立法纲要》共14章，56条。在序言中明确指出："苏联国民教育立法的目的是要积极地完善全国的国民教育事业，进一步巩固这一领域里社会关系中的社会主义法制。"[①]《立法纲要》加强了苏联后期教育管理法制化。

20世纪80年代末，苏联教育政策发生了某些倾向性的变化。在这期间，教育界最常用的字眼是"扩大学校权力"。这种变化体现了苏联国内社会变革的总趋势，也反映了国际教育变革的时代潮流。

---

① 北京师范大学外国教育研究所．苏联高等和中等专业教育法令汇编［M］．北京：北京师范大学出版社，1984：230.

第三节 教育治理特征初见端倪：20世纪90年代

1992年，叶利钦签发《俄罗斯联邦教育法》。俄罗斯教育体制发生了较大的变化，这种变化体现在中央高度集权的消解——区域化、自治化、分权化。[①]这种变革不是在原有基础上的细枝末节的修补，而是一种根本性的制度创新。无论是在联邦和地方之间，还是在国家和社会之间，以及政府和学校之间，都发生了迥异于苏联时期的教育权力变迁。

一、从集权走向分权：联邦与地方教育权责关系的新格局

从极权演化而来的集权制管理模式，在一定时期和一定范围内发挥过积极作用，但其弊端在社会条件发生变化后就会凸显出来。苏联解体后，苏联各加盟共和国按各自的自治理念进行了社会变革，同样也对各自的教育管理体制进行了调整。根据《俄罗斯联邦教育法》和《关于俄罗斯联邦国家教育管理体制的决议》，俄罗斯联邦按照民主化的改革思想对教育管理体制，包括教育行政领导体制和学校管理体制进行了全方位的改革。联邦中央和地方各联邦主体的教育行政权力和责任也处于相应的变化中。20世纪90年代中前期，从联邦中央高度集权走向分权，从一元领导走向多元自治；20世纪90年代后期，由强调分权自治转而强调“统一空间”“联邦责任”“权责均衡”，基本原则是在保证俄罗斯统一教育空间的前提下，尊重民族和地区文化，尊重各地区经济和教育发展之差异性，使联邦中央、各联邦主体间权力平衡。

在苏联时期的大部分时间里，中央教育行政机构实际上承担了学校政治、行政以及专业的统一管理的功能，地方各主体的教育行政机构仅具体执行联邦的这三种功能而已，而所有的教育机构都必须接受来自中央和地方主体行政机构的制约和控制。在20世纪90年代的社会改革中，激进的俄罗斯民主主义者认为，统一于中央的三种功能从理论上是可以在联邦、地方和学校三个主体中明确分工的，联邦是教育政治管理功能的合法主体，联邦内各主体和各教育机构服从于统一的联邦政治意志，以保持国家和民族的统一；

---

① 高金岭. 俄罗斯基础教育［M］. 广州：广东教育出版社，2004：65.

地方行政主体则担负行政管理功能，包括教育规划、战略的制定以及监督检查；而学校则负有完全的专业管理功能和责任。但是，这样一种设计还是难以付诸实践的。因为，政治和行政两种功能无论从理论逻辑上还是从实践逻辑上都是无法剥离的，专业功能更是无法从政治和行政中抽离出来。三权如何重新分配，是俄罗斯这一时期教育改革中不断探索的一个问题。

苏联时期国家行政区划体系为联盟中央—加盟共和国—共和国（州、边疆区）—地区—市镇，教育行政管理体制也是中央高度集权模式，全苏教育的决策机关是苏共中央和苏联部长会议，苏联教育部负责领导全国中小学教育，并通过相应的地方教育行政机构和督导系统进行具体管理。苏联解体后的俄罗斯现行教育行政体制为联邦中央—共和国（州、边疆区）—地区—市镇，分级管理国民教育。在联邦中央设立两大平行的教育行政职能部，一个是教育部，另一个是联邦科学、高等学校和技术政策部。教育部主要负责学前教育、普通中小学教育、职业技术教育、师范教育以及校外教育机构的领导和管理工作；联邦科学、高等学校和技术政策部负责综合大学及其他高等教育（高等师范教育除外）机构的领导与管理工作，该部具体管理高等教育的机构是高等学校委员会。

联邦中央教育行政机构的主要职责是：制定统一的国家教育政策，研究并制定国家教育发展战略，规定国家教育经费标准，编制国家教育预算，组织大规模的社会教育实践，负责国家教育视导活动，研究并发布教育信息，规范并调整教育关系等。在联邦第二、第三级行政区划中，与联邦中央教育部相对应，设立各共和国、边疆区（州、自治州、自治区）教育局、莫斯科和圣彼得市教育局以及各地市、区教育局，负责管理基础教育事业。共和国、边疆区（州）和地区一级教育行政部门的基本职责是结合全国的要求、本地区和本民族的文化历史特点和经济条件，发展本地区教育体系，包括制定符合地区民族文化历史传统并且不违背联邦统一要求的区域性教育政策和标准，为地区教育体系提供财政和物质保障，规定地方教育税种和税额，编制地方教育预算，设立地方教育基金等。

在联邦教育部和地方主体教育行政机构与社会之间，普遍设立社会性教育管理委员会。这些组织机构既负有在联邦权力机构的某些使命，也具有社会民间管理组织的特点。如俄联邦主体教育机构领导委员会、联邦评审委员会、科技委员会、经济委员会等，以及其他评审、咨询、教学法协会和工会领导机构等。教育部许多重大教育决策的制定、讨论甚至执行，都吸纳这些组织机构参与。这种体制在1988年的改革中已经提出。1988年，全苏教师代表大会确认，必须建立社会（民间）性质的教育管理体系，它包括如下层次：全苏国民教育工作者代表大会及其休会期间的执行机构全苏国民教育理事会，以及各共和国一级的相应理事会，边疆区、州、自治区、市一级理事会和学校委员会。另外，由于教育事业涉及的层面和领域比较多，从财政投入、人才规划到学生就业。因此，为了使教育决策更为科学合理，并解决教育管理中的纠纷，提高教育管理的效率，苏联从1984年开始在各个行政层级建立部门协调委员会。1985年，作为苏联加盟国的俄罗斯在大部分共和国、边疆区和州都建立了部门协调委员会。在苏联时期该委员会由各行政层级的政府首脑直接领导，俄罗斯独立后，也保留了这一制度，该制度的建立，有利于将教育事业纳入整个国家的统一管理过程中，使教育规划更能符合整个国家的发展战略要求。

在改革后的俄罗斯教育行政体制中，联邦和地方政府其实处于一种权责相对均衡的状态，教育基本政策和统一性教育立法由联邦负责制定，对各相应教育行政部门的授权基本划定在四个领域：第一是制定教育政策规划、战略以及法律规范；第二是依法管理，教育部门必须检查和监督学校对法律法规的执行、学校是否遵循国家和地方的课程设置标准以及学校校长和教师是否违反法律；第三是负责维持学校的日常运转，包括国立和公立教育机构的经费保障、学校建筑物和教学设备的资金投入等；第四是在学校和家长、学生以及社会其他主体发生冲突时做出行政决定。

建立这种新型权力结构模式，主要是为了把以前混在一起的管理职能即政治的、行政的和专业的职能相对分开，使行政管理更带有技术性，而不直接包括政治和意识形态的内容，专业管理可以比较少地受到政府的干涉，这些职能的分开还需要各种组织上的保障措施。教育行政部门对学校教学工作的干涉仅限于对一些政策实施的检查，它们的职权被压缩到一些纯粹的行政领域，如区域教育规划、教育财政管理以及依法管理等，政府行政人员不得对学校的教学工作做出指令性、强迫性的干预。对学校的评估活动的影响也相对缩小，而将其中的一些职能逐渐移交给行政机构以外的专业性评估机构。

二、“解国家化”与民主化：国家与社会管理新模式的出现

从国家管理学校向国家和社会共管学校的转变，是俄罗斯教育管理的显著变化之一。20世纪90年代中期以前，教育管理在国家性质、国家—社会性质、社会—国家性质、社会性质四个维度上，一直存在很大的争议。俄罗斯联邦首任教育部部长第聂伯罗夫认为，教育的“国家—社会共管”和“社会—国家共管”，乃是教育的“解国家化”的具体落实形式，其关键是加大社会因素在教育管理中的比重。他分列了三个能落实“社会—国家共管”的机制：一是建立各级教育的国家—社会共管机构；二是教育的地方自治和市区化；三是发挥教育社团和职业教师组织的作用。①

俄罗斯教育管理的国家—社会性质主要表现在社会团体参与教育的管理与监督。从整体上看，20世纪90年代制定的《俄罗斯联邦教育法》和《俄罗斯联邦高等和大学后职业教育法》等为社会团体参与教育管理创造了必要的法律基础。1996年修改后的《俄罗斯联邦教育法》第一章第2条明确规定，“国家教育政策的原则”之一是“教育管理的民主性质和国家—社会性质，教育机构自治”。②该条款的精神在《俄罗斯联邦高等和大学后职业教育法》第12条第15款中得到了进一步的发展（第15款主要涉及高等教育领域的社会组织和国家—社会联合体之间的关系）。许多调节教育领域法律关系的地区性法令条款都很重视发展教育管理领域的民主化，广泛吸引个人和社会团体，特别是教育工作者参与到这项工作中。

《俄罗斯联邦教育法》并没有提供社会参与教育管理的所有形式，第35条给出了几种学校自我管理的形式：委员会、学校大会、教师委员会。《俄

① 肖甦，王义高．俄罗斯教育10年变迁［M］. 北京：北京师范大学出版社，2003：207.

② 肖甦，王义高．俄罗斯转型时期重要教育法规文献汇编［M］. 北京：人民教育出版社，2009：230.

罗斯联邦高等和大学后职业教育法》针对这一阶段教育管理的参与形式作了补充：教育工作者大会，科技工作者大会，其他领域的代表和学生大会，选举代表机构——学术委员会（第12条），“高等学校教学法联合会，科学方法、科学技术及其他委员会类型”的国家—社会联合会以及还没有命名的具体的大学生社会组织（第15条）。第12条还提出，高等学校应创建监督委员会。

《俄罗斯联邦高等和大学后职业教育法》对大学学术委员会的组成规则和活动范围也作了规定。学术委员会的成员包括担任该委员会主席的校长和副校长。其他学术委员会的成员由大会通过匿名投票选出。学术委员会的成员、权力、选举的程序及学术委员会的活动都根据《高等职业学校示范性条例》制定的章程确定。

某些地区依法对高校的国家—社会联合会的创建和运行过程进行了调整，国家—社会联合会由联邦权力执行机构创建并按照这些机构制定的示范性条例开展活动。这些联合会由高校的教学工作人员和其他工作人员以及在高等职业教育领域产生影响的企业、机关和组织的工作人员自愿加入构成，这些联合会是在没有法人组织的条件下创建的。

《俄罗斯联邦高等和大学后职业教育法》没有规定学校内组建自我管理机构和社会组织的程序和活动范围。但它指出，所有这些问题都应根据每个学校的具体章程进行调控。

总体上，俄罗斯联邦境内“参与教育事业”的所有社会机构和组织可以划分为两类，即教育系统内部的组织和教育系统之外的组织。学校自治机构（学校委员会、管理委员会、教育机构委员会、大学学术委员会、其他不同的学生自治组织等）可以归入第一类。联邦、地区和地方（市级）层次的权力机构和部门管理机构设立的不同类型的社会组织（附属于教育管理不同部门的工作委员会、学校领导委员会、教学法委员会、学习方法委员会以及其他委员会和中心）也可以归入这一类。

这些组织的活动促进了教育管理水平的提高，改善了管理机构的管理效果，而且使这些组织的活动呈现出了一些民主化的发展态势。但是，这项实践并没有真正使教育管理具有民主化和国家—社会共管的性质。第一，这些社会机构就其实质而言并非管理机构，也非自治机构，因为它们并不具有做出管理决定的权力，而这些决定又是教育参与者完成教育过程所必需的；第二，工作委员会这样的机构由学校行政管理机构、地方或地区权力机构以及教育管理部门组建，从组建开始就被置于行政的垂直管理范围之内，其结果必然倾向于维护这些部门的利益；第三，绝大多数如同工作委员会这样的机构仅仅是在有条件的情况下才能够被视为社会性机构，因为这些机构并非社团选举产生，也没有社团应有的权力，它们仅仅是由权力机构和教育管理机构确定的。①

大约三分之一的学校建有教师、学生和家长代表组成的社会委员会，这些委员会也在发挥作用。它们向学校管理部门提供帮助，解决物质技术问题和资金保障问题，安排学生课外活动等。许多学校有学生自治组织，但这些自治团体的作用主要是协助教师开展课外活动，还谈不上真正的自我管理。

类似的情况同样存在于家长管理组织。在学校，家长管理组织通常由学校校长和班主任建立，帮助解决日常教学组织任务，但作用有限。

学校里的教师委员会依旧仅仅是附属于学校的一个协商性组织，不能真正解决教师迫切需要解决的问题。

大量的现实因素阻碍了社会参与教育管理的进一步发展。研究者认为，问题在于整个社会并没有表现出参与教育管理的足够兴趣，权力机构对社会参与教育管理也不支持。除此之外，参与管理的法制基础也显不足，社会管理机构缺少实际权力。因此，这类参与管理的活动不能起到应有的作用。

所有这一切不仅仅导致社会参与教育管理发展的速度非常缓慢，甚至对已形成的管理机构起到负面影响。很多时候，教育领域的“社会机构”在解决教育发展问题时也消极对待。

一些研究人员探讨了如何发展“教育系统之外”的社会组织，并设计了出路。他们认为，这些组织可以更加自由地工作，因为它们并不分享官方垂直管理所关注的教育体系的内容利益。但是，这类组织通常是为了向个别学

① 朱小蔓，鲍列夫斯卡娅，鲍利辛柯夫. 20—21世纪之交中俄教育改革比较［M］. 北京：教育科学出版社，2006：59.

校提供物质帮助，而且它们是以作为教育系统之外的独立法人方式组建而成的。因此，这些组织不能被视为学校的自治组织，更不能被视为自治组织的管理机构。

俄罗斯学者宾斯基指出，管理领域社会成分的增加与学校自治权力的扩展有非常明显的联系。[①]国家和社会不仅仅要在教育系统内部组建代表社会利益的组织，而且要保证这些组织能够掌握管理学校活动的政策；有责任将教育机构和教育系统的教育活动与经济活动结果通报给市民；组织公开讨论学校发展和区域性教育综合体的发展计划。总体上讲，这是一个长期的过程，这一过程的推进取决于多种条件和因素。可以说，20世纪90年代，俄罗斯已形成了教育管理的国家—社会形势，但就其实质而言，国家仍起主导作用。

三、自主化与自治化：政府放权回归学校

在俄罗斯历史上，教育管理有着自然的集中倾向。在十月革命以前，宗教把持教育机构。十月革命后，几乎所有的初等和中等教育都国有化，教育管理权力集中的特点更为明显。学校的类型、教育目的和目标以及所有学校的课程设置都由中央规定，国家在决定学校内部事务方面起着决定作用，由国家推行的统一模式的学校改革对学校的个性发展有很大冲击。

旨在分权和扩大学校自主权的改革是从1992年颁布新教育法开始的。这是一个激进的民主主义的教育法令，是激进派的社会治理思想在教育中的反映，他们力图在新教育法中体现放权社会、回归学校的主张。新教育法赋予学校一些新的权力，只要是法律上未许可其他机构管理的学校事务，全部由学校自行管理。学校在完成教育过程、选择和分配师资等方面有自主权，并在法令、示范性条例和学校自己章程规定的范围内独立开展科研、经济及其他活动。

鉴于高等教育领域的管理历来由中央统一掌握，因此，高校的自治权扩

---

① А. А. Пинский. Общественное участие в управлении школой. Школьные советы [M]. M. : Альянс Пресс, 2004: 14.

大和学术自由似乎最能说明此种变化之大。高校的自主权体现在多个方面：

——拥有土地、房屋、设施和其他保障法定教育活动所必需的财产等权利，而以往这些财产均归国家所有。

——拥有一切合法收入，通过提供智力劳动和创造性劳动成果获得收入，以及用上述收入购置的财产等，而以前高校经费的唯一合法来源是国家预算拨款。

——根据从事教育活动许可证，自行决定各方向和专业的招生规模与结构，自行制定招生条例，而以往是国家统一规划专业设置和招生范围。

——依据高等教育国家标准所提出的要求，制订教学计划和大纲、选择教学方式、方法的权利。

——确定学校结构、人员编制、劳动报酬（但不能低于法律规定的最低工资额）等的权利，而以前这些内容均由上级管理机构统包，劳动报酬的等级依全国统一标准划分。

——从事国际教育合作、在遵守俄罗斯联邦法律的前提下进行对外经济活动的权利，而这种对外经济活动的规定在以往任何法律条文中均未见到。

在高校管理自治扩大化的同时，有必要提及高校学术自由方面的变化。就大学生而言，学术自由是指具有在协商基础上选择课程的权利，其中包括与其教学大纲无直接联系的课程。1993年颁布的《高等学校国家标准》明文规定教学大纲中近20%的内容留给学生自选，学生有权参与讨论决定学校的重大问题等。有些高校还把大学生享受学术自由的一些具体权益列入了学校规章制度中。如国立莫斯科师范大学和圣彼得堡技术大学规定，学生有向系和有关教研室领导提议更换教师的权利；圣彼得堡电工大学规定学生有列席学术委员会会议并参加讨论的权利；沃罗涅什工学院规定学生有获得信息的自由，等等。①

纵观20世纪90年代俄罗斯教育治理的发展，基本上是沿着民主化道路在前进。教育管理领域实施的各治理主体间权力的分配多半是有效的。它们同时又反映着当代世界教育发展的相似走向。

---

① 肖甦，王义高．俄罗斯教育10年变迁［M］．北京：北京师范大学出版社，2003：40.

第二章　俄罗斯教育治理的结构

1992年以后，教育管理的“去集权化”“去中心主义”导致俄罗斯联邦教育管理的分支机构、管理对象、管理内容的变化。教育体系内部的垂直管理仍保留原有的结构，包括联邦中央、联邦主体、地方自治机关和教育机构四个基本层次在内的多级管理体系。每一个层次的管理部门都承担一定的管理职能，在各自的职权范围内自主制定相应的政策。2000年通过的《俄罗斯联邦教育发展纲要》再次强调要“发展和保证教育系统管理上的民主性质、国家—社会共管性质”，形成相应的机制，完善俄罗斯联邦国家政权机关、俄罗斯联邦各主体国家政权机关、地方自治机关、教育系统各团体、各社会组织作为统一综合体的教育系统。①

第一节　教育行政管理部门的建制

按照《俄罗斯联邦教育法》的规定，俄罗斯教育管理部门主要包括整个教育体系的联邦教育管理机构——俄罗斯联邦教育与科学部，联邦主体一级的教育管理部门，地方（市一级）教育管理部门；管理部属以及部门内部教育机构的俄罗斯联邦部属教育管理机构（如国防部、内务部等），如图2-1所示。

① 肖甦，王义高．俄罗斯转型时期重要教育法规文献汇编［M］．北京：人民教育出版社，2009：349.

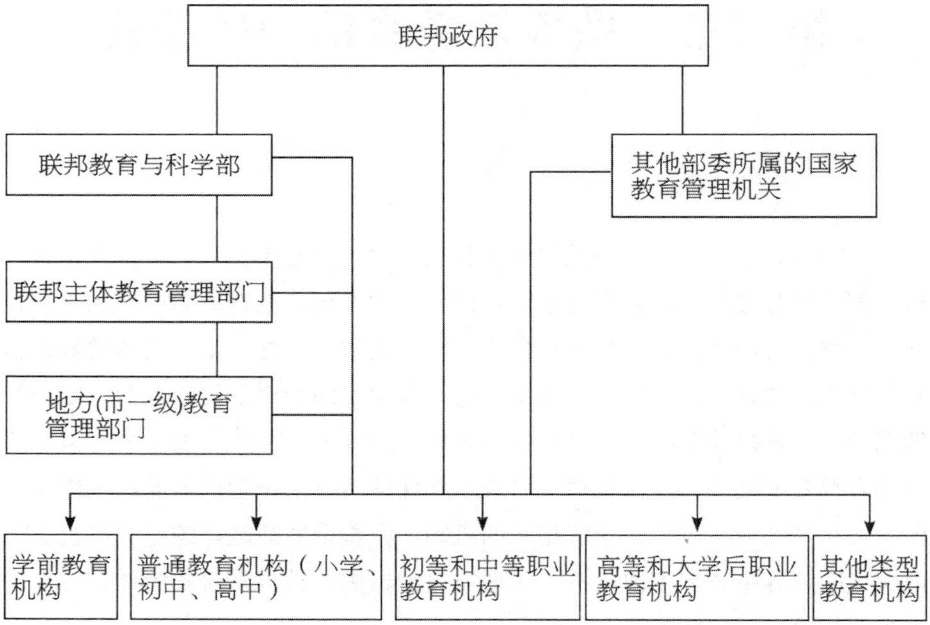

图 2-1　俄罗斯联邦教育管理体系 ①

国家教育管理机构由相应的国家权力执行机关做出决定，并征得相应的国家权力机构同意后建立。地方教育管理机构可以根据相应的地方自治机构的决定建立。教育管理机构的根本任务是保证联邦教育发展纲要的实施、国家教育标准的执行和教育系统根据国家标准运行。教育管理机关对其下属教育机构实施监督。

一、联邦中央教育管理机构

20世纪90年代以来，俄罗斯国家教育管理部门几经调整。1992年3月，俄罗斯教育部和俄罗斯联邦科学、高等学校和技术政策部两部门正式成立，对全国教育系统进行管理，前者主管普通教育，后者主管职业教育。1996年8月，俄罗斯政府改组职能机构，成立俄罗斯联邦普通与职业教育部，取代

---

① 姜晓燕，赵伟．俄罗斯基础教育 [M]. 上海：同济大学出版社，2015：38.

上述两部，对全国的普通中等教育和职业教育实行垂直管理。2004年3月，普京连任俄罗斯总统，联邦政府对其最高权力再次进行重组，原来的俄罗斯联邦普通与职业教育部和科学与技术创新部两部合并，成立俄罗斯联邦教育与科学部，作为联邦政权在教育领域的最高行政机构。联邦教育与科学部由四个署组成：联邦教育署，联邦科学署，联邦教育与科学督察署，联邦知识产权、专利及商标署。联邦教育署基本上替代以前的俄罗斯普通与职业教育部职能，对各级各类教育实行联邦中央、联邦主体、地方三级管理。

2012年，普京再度当选总统后，联邦教育与科学部调整内部机构。联邦教育与科学部作为一个联邦权力机构负责制定教育、科学、科学技术、创新活动、纳米技术、知识产权、道德教育领域、学生社会支持和社会保护领域的国家政策和相应法律法规。主要工作目标是为满足居民教育需求，保证优质教育的普及，向经济领域提供足够的高技能人才，整合教育和科学技术活动，提高科学技术成果使用的有效性，改革科技领域，促进创新活动，以此促进经济稳定增长和提高社会福祉。改组后的联邦教育与科学部不再设署，直接设司：

——战略、分析、预测司　确保在教育、技术和创新领域政策的制定和实施，分析各领域政策实施的一系列措施。

——教育科学预算、核算、决算司　负责教育科学领域的预算、核算及决算工作。

——国家变通教育政策司　负责制定实施变通教育领域政策法规，调节普教领域的教育活动。

——直属机构管理司　为部属机构的发展提供建议。

——人才培养及补充教育政策司　在初等、中等职业教育及职业培训和补充职业教育方面制定和实施政策。

——科学与技术司　调节科学、科技和创新活动。

——国际司　在国际合作方面制定实施国家政策和法规，调节教育与科学部的活动。

——项目及竞赛管理司　在项目管理和竞赛组织等方面给予组织—技术支持和法律—方法的保障，并能提供相应的咨询。

——高等教育政策司　制定实施变通教育领域政策法规，调节高等教育领域的教育活动。

——儿童权利保障领域国家政策司　在未成年人监护及预防其成为社会孤儿方面，在安置孤儿保护其权利等方面，制定和实施国家政策及法规。

——儿童、青年思品教育政策司　制定和实施国家政策及法规，调节儿童补充教育、儿童和青年思品教育、青年政策以及此方面的国际合作活动。

——行政司　处理教育与科学部各组织机构的日常事务，包括登记、复印、回复各类信件等。

——科研及科教人员考评司　确保制定和实施国家政策及法规，调节科研及科教人员的国家考评工作。

——法规司　在征求教育科学各部门意见的基础上，形成教育与科学部法律法规文本。

——信息及地区政策司　负责教育信息化政策以及地区政策的管理工作。

——国家公务、人才和反腐司　制定教育与科学部的人才政策，并以此为基础构建高效的联邦国家公务员和各组织机构领导阶层的管理机制。

二、联邦主体教育管理机构

联邦主体教育行政管理机构的组织结构和具体职能划分由联邦主体法规确定。因此，这些机构的名称和组织结构有很大不同，如州、边疆区、共和国下属的教育局、教育委员会、国民教育管委会、共和国教育部等。就其权限划分与机构设立而言，不同地区之间的差异也很大。有些地区的科学与职业教育管理局和普通教育管理局各自独立，而有些地区的初等教育管理机构是独立设置的。联邦主体行政管理机构贯彻、执行联邦教育政策，制定并实施与联邦教育政策一致的政策及相关法令；管理辖区内的教育机构；根据本地区的实际情况，制定并实施共和国、地区教育发展纲要；制定国家教育标准中的地区部分，编制联邦主体教育支出部分的预算。

三、地方（市级）教育管理机构

地方（市）教育行政管理机构的名称差异也很大，如市（镇、乡村等）教育委员会、市教育处、市政府下属的教育管委会。[①]市教育行政管理机关

---

① 时月芹．俄罗斯教育行政管理体制的变革［J］. 大学：研究与评价，2008（9）：45-49.

管理、监督地方（市级）教育活动和教育机构的工作。市级教育行政管理机构实施联邦中央、联邦主体的教育政策，参与制定和实施市教育政策。在市、地区内组织并提供普及、免费的学前教育、普通初等教育、普通中等（完全）教育，开办、改组、撤销地方所属（市级）教育机构。

第二节　普通教育的治理结构

俄罗斯普通教育机构的内部治理主要通过学校委员会（以下简称校委会）实施。校委会的组建原则及其职能的发挥要依据《校委会条例》。校委会成员的选举依据公开、民主的原则，由来自不同层面的代表组成，其中对校长既有特殊的身份规定，又具有相应的约束力。校委会对学校的管理秉承合议制的原则，在管理过程中，校委会和校长之间的权力相互制衡。

普通教育机构校委会是自治的合议性机构，该机构遵照普通教育机构章程解决教育机构权限问题。校委会遵照《俄罗斯联邦教育法》以及其他相关法律开展活动，其成员的活动在自愿参与工作、合议决定和公开的基础上进行。校委会组织建立、活动程序、人数及其权限由普通教育机构章程确定，成员不得收取委员会工作报酬。

一、校委会结构和组成程序

校委会由各方代表组成，其中有教育管理部门行政人员、中小学各年级家长、教育机构工作人员和高年级学生代表等。校长可以进入校委会，根据校委会决定，可以邀请从事专业社会活动或具有专业社会知识的公民加入，也可邀请在教育机构发挥作用的其他自治机构代表加入。这些积极的举措能够充分发挥校委会的合议功能，促进该教育机构的发展。普通教育机构章程规定校委会的总人数，家长人数不能少于委员会人数的三分之一，但又不能多于二分之一。教育机构工作人员人数一般不超过委员会总人数的四分之一。学生人数中，高年级阶段的每个年级都至少选出一个代表。剩下的委员会成员由普通教育机构校长和增选的成员担任。如果教育机构中学生人数超过300人，那么家长在校委会中的人选由家长代表会议推选产生；如果学生人数少，那么就在全体家长会上推选产生。

校委会中学生人选在相应班级的全体学生会议上产生，学生会议的召开要参照一定规则。校委会教师人选由教师全体会议选举产生，校委会选举的期限为3年，从选举后开始行使权力。

二、校委会的职能和权限

校委会的主要任务是确定普通教育机构发展的基本方向，提高学校财经活动的有效性和工作人员劳动热情，分配教师激励奖金，在教育机构中创建合理的教学过程组织形式；监察教学大纲、教学计划和教学过程的实施情况；确保教师和学生的健康，监察饮食、医疗服务情况，监察财政资金的支出情况。当教学过程参与双方出现冲突又不能达成一致时，校委会参与调解。校委会与教育机构中其他自治机构协同行事，共同完成学校的教育教学任务。

校委会的权限涉及学校教育教学的各个方面。校委会有权与地方自治机关协商确定年度教学进度，制定教育发展纲要，制定学校内部规章。根据校长的提议，商榷教育资金支出预算。依据国家普通教育标准，在教学过程中采用新的教学方法。

除此之外，校委会还在很多方面为校长提供建议。例如，协助校长在联邦教材目录中选择教学使用的教材；保障学生的中期和总结性考评正常进行；组织教育机构预防未成年人犯罪，杜绝对未成年人的忽视；尊重教育机构学生和教师的权利和自由，协助其他自治机构开展工作等。

校委会还参与制定开除学生的程序，参与创建协会组织，定期公开教学参与者的活动信息及教学方面的决定；参与准备和公布教育机构年度报告，并与校长、校委会主席一起签署报告，听取校长、其他分管校长的年度教学和财政报告。

三、校委会的活动形式

校委会的活动开展及程序由校章程确定，工作形式为会议制，会议召开的次数根据需要决定，但每个季度不能少于一次。

校委会主席负责召集校委会会议，如主席缺席，则由副主席召集会议。校长也有权召集校委会会议。在校委会成立后的一个月内，校长召集第一次校委会会议，会议中选举校委会主席、副主席、秘书。校委会主席不能在学校工作人员（包括校长在内）和学生中产生。校委会主席按照校委会规程规划校委会工作，校委会规程最晚要在第二次校委会会议上审议通过。

校委会可以组建临时性和永久性的各类专业小组。校委会确定各小组的组织结构和人数，确定其成员、任务及其职能。所有小组的领导都必须为校委会的成员。只有出席校委会会议的人员超过总人数的一半，校委会会议做出的决定才有效。

通常，校委会的决定由出席会议的成员进行公开投票，投票的结果要记录在案，形成会议纪要，并由主席和秘书签名。在不破坏劳动纪律和不妨碍教学的情况下，校委会有权邀请学校任何一名工作人员参加校委会工作会议，听取校委会报告。校委会有权要求校长提交信息报告。学校行政部门负责校委会活动的组织和技术保障。

四、校委会及其成员的责任和义务

校委会负责审核和执行其权限范围内的决定。如果校委会没有在规定时间内就某个问题做出决定，或校委会做出的决定有悖法律和学校章程，或校委会做出的决定超出其所辖权限，那么校长有权在校委会职权范围内做出处理决定。校委会成员如果做出破坏联邦法律的决定，须承担相应法律责任。在校委会和校长之间出现冲突，双方不能通过谈判达成妥协时，需将问题提交给各自代表的相应机构进行研究。

校委会成员有责任出席会议，若校委会成员连续超过两次无故不参加会议，校委会可根据决议将其开除。校委会成员以书面形式表达退出校委会的意愿，校委会可以除名该成员。如果校委会在半年内未召开会议，将自动解散。校委会按照一定程序重新组建。

五、莫斯科 1515 中学的个案分析

莫斯科1515中学是莫斯科市国立教育机构，创建于1973年。学校占地面积6 200平方米，有教室35间，并建有媒体中心和本地计算机网络。图书馆藏教科书25 519册，文学类书籍6 875册。[①]该校共有教师101人，其中具

① 姜晓燕，赵伟．俄罗斯基础教育［M］．上海：同济大学出版社，2015：53.

有高等学历的占94%，具有一级技术职称的教师占18%，该校校委会由来自教育管理部门、教师、家长和学生等各方人士组成，协同校长、其他自治机构等管理学校事务。

（一）管理组织机构

学校管理组织主要包括：学校代表大会、学校委员会（校委会）、教师委员会、心理与教育评议会，学校学生委员会、教学法协会和外语研究室、班主任协会、学校家长委员会和班级家长委员会等。每年学校要将学校的工作计划、财政报告和工作总结报告公布在学校网站上，供广大教师和学生监督。

学校代表大会的主要职能是确定学校活动的主要方向；审议、通过及变更学校章程；补充学校章程，选举学校委员会，创建永久性和临时性的各类委员会，并确定其职权。莫斯科1515中学的组织结构如图2–2所示。

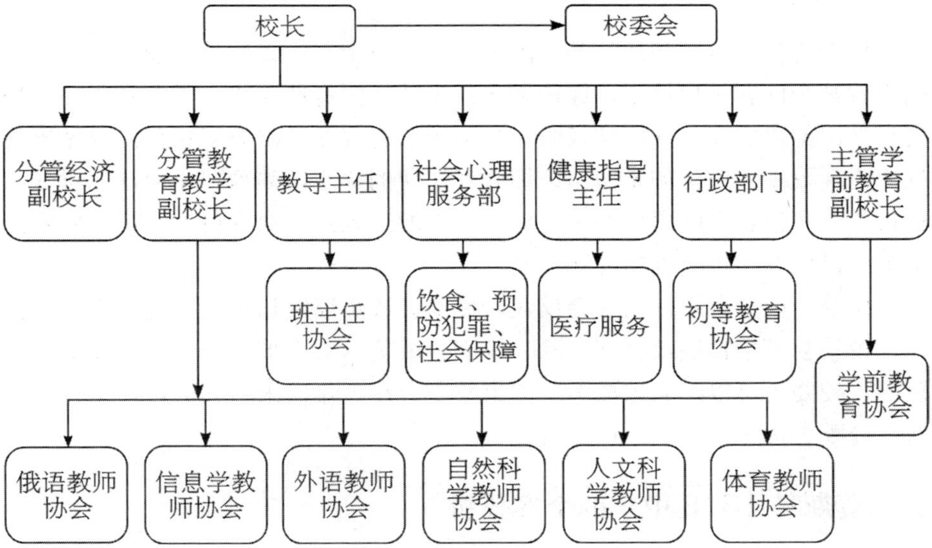

图2–2　莫斯科1515中学的组织结构[①]

① 姜晓燕，赵伟．俄罗斯基础教育［M］．上海：同济大学出版社，2015：55.

（二）校委会组成及职能

一年内召开委员会会议不能少于两次，委员会成员在自愿的情况下完成其职责。如果参会人员超过校委会人数的三分之二，并且参会的三分之二人员投赞成票，则校委会的决议通过并有效。校委会的决议对学校全体成员具有约束力。

校委会遵循章程组建，主要成员为教师代表、家长代表和高年级学生代表，校长可以进入校委会，但不能成为校委会的主席。教育机构代表、学校所属莫斯科教育局西南区教育管理部门的代表都可以被选为校委会成员。莫斯科1515中学校委会共有成员38人。其中，西南区教育管理部门代表1人，学校所在街区沙拉硕瓦－姆涅夫尼克区管理部门代表3人，教师代表13人，来自9个年级的不同班级的家长代表14人，来自9—11年级的学生代表7人。[①]

莫斯科1515中学校委会行使以下职能：组织召开校委会会议；确定学校的发展规划；商榷预算外资金支出；确定选择学习何种外语课程；听取校长及其他人员总结报告；为工作人员提供各种奖励；协商制定内部规则、资金使用细则、学生行为规范及其他规章。

第三节　职业教育的治理结构

一、大职业教育体系框架的形成

受俄罗斯社会经济变化以及欧洲教育一体化进程的影响，近些年来，俄罗斯的职业教育体系一直处于调整和改革状态。从1992年《俄罗斯联邦教育法》颁布实施以后，俄罗斯建立了由初等、中等、高等、大学后职业教育和补充职业教育共同组成的连续的大职业教育体系。

（一）初等职业教育

俄罗斯初等职业教育属于义务教育，承担一定的社会职能，即对学生提

① 姜晓燕，赵伟．俄罗斯基础教育［M］．上海：同济大学出版社，2015：54．

供一系列社会支持，包括免费的食宿、奖学金和免费服装。75%的初等职业学校学生来自生活缺乏保障的家庭，或者不完整家庭，80%以上的学生家庭收入都低于平均收入水平，6%的学生入学动机是学校提供免费的饮食。①

初等职业教育主要由两类学校提供，第一类为职业技术学校（училище），这是传统的初等职业学校形式；第二类是近年来形成的新型的初等职业学校，即职业性实科学校（лицей）。二者的区别在于，实科学校提供更高层次的培养，甚至可以实施中等职业教育，主要培养高水平的技术工人。此外还有部分初等职业学校向技校（техникум）方向发展，主要表现形式是学生学习年限延长，一般为3—4年。

（二）中等职业教育

《俄罗斯联邦教育法》规定，中等职业教育的目的是培养具备中等职业教育程度的、有熟练技能的专门人才；中等职业教育在基础普通教育、完全中等教育和初等职业教育的基础上满足个人深造和扩展知识的需要，使个人获得从事所选职业活动需要的技能、智力、身体、道德方面的发展。②

中等职业学校主要有三类：第一类是中等专业学校，包括中等技术学校和中等专业学校（техникум或училище），也有部分中等专业学校的名称使用“中学”（школа）一词；第二类是学院（колледж）；第三类是企业（机关）技校（техникум–предприятие或учреждение）。其中，中等专业学校是实施中等职业教育的基本专业学校，学院是独立的、提供型的学校（或者是综合性大学、专科性大学、高等专科学校的分校）。两类学校的主要区别体现为教学计划不同，前者实行中等职业基本教育大纲的基础阶段的计划，后者实行中等职业教育基础阶段和提高阶段的计划。中等职业教育的提高阶段与基础阶段相比，人才培养的深度和广度有所提高，学习期限增加1年。企业技校也是一种独立的学校，按照中等职业教育大纲开展职业教育。

---

① 徐长发．中俄典型地区职业教育调查与比较分析［M］．北京：教育科学出版社，2010：67.

② 肖甦，王义高．俄罗斯转型时期重要教育法规文献汇编［M］．北京：人民教育出版社，2009：150.

（三）高等职业教育

按照《俄罗斯联邦教育法》和大学专业设置数量，大学可以划分为以下几类：综合性大学（университет）、专科性大学（академия）、学院（институт）。前两类中发展迅速、人数最多的是综合性大学。任何一类高等职业学校及其分校在有相应的许可证条件下都可以开展普通初等、普通基础、普通完全中等、初等和中等职业教育，甚至是补充职业教育。现有的三类高等学校在实行以上教学计划的同时，通常还要实行大学后职业教育大纲，对高水平人才、科学和教育科学工作者实行培养、再培养和技能培训，兼顾开展基础性和应用性科学研究，对教育计划、教学量以及毕业生培养水平的要求都由高等职业教育国家教育标准决定。

与其他的职业教育阶段相比，俄罗斯高等职业教育在近些年经历了最显著的数量和质量的变化，处于快速发展阶段。

（四）大学后职业教育和补充职业教育

大学后职业教育和补充职业教育也是俄罗斯职业教育体系的一个重要组成部分。按照《俄罗斯联邦教育法》的规定，大学后职业教育向公民提供在高等教育基础上提高自身受教育水平和科学教育素养的可能。高等学校提供的研究生教育属于高等后教育。创办补充职业教育的目的是为了全面满足公民的教育需求。在职业教育的所有层次都存在补充教育，其主要任务是继续提高工人、职员、专业人员的专业技能素养。目前，主要依靠在学校中创办专门的分支机构来为企业提供补充职业教育。此外，政府还倡导建立行业性的补充培养体系并努力使这种行业培养体系与大学实现教育资源整合。

二、职业教育体系治理结构的变革

本部分的论述仅限于正规学校的初等职业教育和中等职业教育。

（一）管理权的下放及其调整

苏联时期，俄罗斯境内的职业教育管理体制实行国家统一管理，采取教育行政管理与行业管理相结合、以教育行政部门管理为主导的模式。在权责分配上，职业教育的方针政策、教学大纲以及专业设置等都由中央政府负责制定与规划，地方政府负责组织实施，办学经费也纳入中央财政预算。学校缺乏办学自主权，对社会的主动适应能力不强。苏联解体后，由于原有管理体制僵化，职业教育机构显得无所适从，其办学活动脱离地区经济社会发展的需要。因此，改革职业教育管理体制、调整中央和地方的教育权责成为市场经济体制下亟须解决的问题。

1992年底，俄罗斯联邦政府通过了《俄罗斯联邦教育部职业技术学校经费拨款问题的决定》，这标志着职业教育管理非集权化进程的开始。按此决定，自1993年1月起，职业技术学校的经费拨款由地方财政预算支付，也就是说，联邦各共和国、州、直辖市等地方政府应担负起对职业技术学校的办学与管理职能。联邦政府只为部分学校提供经费，具体操作上采取以下措施：

第一，由总统发布命令，要求各级政府严格执行国家教育经费拨款的最低标准，以保证职业教育经费及时到位。

第二，推出职业技术学校经费拨款的多种方案。按照人才培养的方向可确定三类学校及三种经费拨款模式：全俄意义的职业技术学校（约占30%），应由联邦政府拨款；跨地区的和地区职业技术学校由地方政府拨款；跨地区或与联邦共建的职业技术学校（占40%–50%），经费来源可按培养方向进行分解，为当地培养人才的，由地方政府拨款，为联邦培养人才的，由联邦政府出资。

第三，移交工作通过签订合同完成，并与地方职业技术学校的布局调整相结合。通常由联邦政府机构与联邦各主体的政府机构签署“联邦合同”，对地方权力机构在领导、管理初等职业技术学校方面的权力与职责做出明确界定与承诺。[①]

然而，下放的职业教育管理权在实施中也遇到了困难，来自边远州、区的抵触情绪较大。这些地区认为，把职业教育财政责任完全下放给地方是联邦政府推卸责任的行为，是将财政负担转移给地方和社会的不负责任之举。为了解决由职业教育管理权下放引发的问题，20世纪90年代后期，俄罗斯联邦政府又提高了联邦政府的拨款比例，强调政府财政拨款是职业教育经费

① 刘启娴．转型期俄罗斯职教改革的方向与进程［J］．全球教育展望，2001（2）：64–66．

来源的主要渠道，并确定了发展职业教育事业的三条原则：经费优先拨款；保护联邦、联邦主体和市级政府三级财政预算对初等职业教育的所有支出项目；对投资发展职业教育的学校、自然人和法人提供税收优惠。

在2001年前，教育部与联邦主体的教育管理部门签署了30多个协议，以划分它们在中等职业教育管理方面的权限。经过调整，俄罗斯的职业教育机构主要有国立学校、市立学校和非国立学校三种类型，其中国立学校和市立学校由俄罗斯联邦或者联邦主体管辖。重新调整后，联邦管理的国立学校占国立和市立学校总数的61%，属于联邦主体管理的国立学校数量占38%，市立学校占1%。在俄罗斯联邦的国立初等职业教育体系中，则形成了四种财政拨款方案：①初等职业教育系统归俄罗斯联邦政府所有，其财政拨款也来源于俄罗斯联邦政府，有69个联邦主体属于这种情况；②初等职业教育系统归俄罗斯联邦政府所有，但其财政拨款来源于联邦主体，有12个联邦主体属于这种情况，此情况适用于经济和财政状况较好并且所辖的初等职业教育机构对联邦有重要意义的联邦主体；③初等职业教育系统归联邦主体所有，其财政拨款也来自联邦主体，有6个联邦主体属于这种情况，此情况适用于经济和财政状况较好的联邦主体；④初等职业教育系统归联邦主体所有，但其财政拨款来源于俄罗斯联邦政府，有2个联邦主体属于这种情况，此情况适用于经济和财政状况不太好的联邦主体。[①]

（二）办学自主权的扩大

在下放职业教育管理权的同时，联邦也赋予职业教育机构更多的自主权，使学校成为真正意义上的自主办学者。职业教育机构也获得了专业设置与招生的自主权，在遵循联邦和地区职业教育标准的前提下，学校有权制订自己的教学计划、教学大纲，有权选定教材，有权制订学校章程，有权与其他社会组织和个人签订经济和服务合同、协议，有权确定学校内部的奖金、补充工资额度和标准。此外，学校在人事、内部事务管理和财务管理方面也都获得了相应的自主权。

---

① 吴雪萍，陈炯奇．俄罗斯职业教育管理体制改革探析［J］. 比较教育研究，2007（11）：49-54.

为加强职业教育主管部门对学校的宏观管理，联邦政府还制定了国家职业教育标准，以保证国家职业教育发展的整体质量和水平。俄罗斯联邦和地方教育主管部门对职业教育机构的课程开设、教学内容和教学效果评价做出了规范。职业教育的国家标准由两部分组成：联邦构成要素和地方构成要素。联邦构成要素包括：联邦政府批准的初等和中等职业教育的专业目录；职业技能等级说明；对人文和自然科目、职业课程知识最低标准的要求和毕业生训练水平的要求；学生学习时数的最高限度等。地方构成要素又称可灵活掌握的部分，其可用学时约占教学总量的10%-30%。由地方职业教育主管机构根据各地区经济、社会等方面的特点及对人才培养的需要自行设置。[①]

学校自主权的扩大，在很大程度上改变了学校不能直接面对市场的弊端，也减少了社会上对职业教育机构培养质量的指责和批评。同时，职业学校法人地位的确立，使学校增强了与社区、企业和家庭沟通的动机和愿望，使职业学校的人才培养机制与社会劳动力市场沟通的效率和质量大大提高，其人才培养方向由“合格的技术人才”向“符合社会需要的技术人才”转变。

（三）实行多部门的协同治理

在宏观方面，俄罗斯的重要职业教育政策都是联邦政府与各共和国、边疆区、自治州、自治区政府及职业教育管理机关共同商议制定的，充分听取和采纳了地方的意见和建议。此外，在职业教育的管理体系中，活跃着79个区域性的校长协会和18个部门性的校长协会。这些组织在职业教育领域中有着相当的声望。其中，轻纺工业专科学校和中等技术学校、汽车工业学校、建筑技术学校和建筑高等专科学校、职业技术师范学校和专科学校、林业学校、冶金学校的学校协会和师范专科学校的校长委员会在职业教育事业的管理中发挥着卓有成效的作用。[②]校长联合会及专业协会在联合各学校和对中等职业教育感兴趣的各个组织的过程中，产生了许多新的形式。例如1998

① 刘启娴．转型期俄罗斯职教改革的方向与进程［J］．全球教育展望，2001（2）：64-66.

② 吴雪萍，陈炯奇．俄罗斯职业教育管理体制改革探析［J］．比较教育研究，2007（11）：49-54.

年成立的全俄中等职业学校校长联合会积极参与中等职业教育发展规划的制定，致力于提高人才培养的质量并优化人才培养的专业结构，加强学校之间的联系。2001年3月召开的俄罗斯中等专业学校校长联合会第二次大会对中等职业教育的内容、法律规范、干部队伍以及物质技术基础等方面提出了建议。隶属于教育部的联邦中等职业教育委员会作为一个咨询性的机构，也发挥着相当的作用，这个委员会有权对中等职业教育发展中出现的问题提出解决意见。

在微观方面，职业教育机构内部管理体制也体现了民主化原则。学校实行校长负责制，最高权力机关是校务委员会。校务委员会由教师、学生、家长和社会各界人士组成，对学校的重大问题（如人事、教学、社会服务、文化交流、科研活动等）有决策权和审议权，学生在学校民主管理中所起的作用越来越大。

（四）发展一体化和连续性的职业教育体系

职业教育管理地方化的实质是学校的教学活动转向关注地方需要，关注地区利益，使学校成为地方社会经济综合体的有机组成部分。俄罗斯初等、中等职业教育发展的一个重要方向是“职业教育与生产的一体化”。具体措施有：建立职业学校与企业合作的教学科研综合体，这是初等、中等职业学校谋求进一步发展的方式，主要表现为创办企业学校，各层次职业教育的一体化，可以保证初等和中等职业教育纵向延伸（垂直）的灵活性，实现教育计划的连续性，提高资源使用的合理性和有效性；建立地区学校、教学科研和教学生产综合体，即将不同类型的学校——普通学校、职业技术学校、中专、学院和大学以及生产和科学组织联合起来，这是更大规模的职业教育一体化形式。

职业教育一体化还表现为出现了一些新型的职业学校类型以及学校合并，例如三分之一的初等职业学校已转变为职业实科学校，这类学校的教育计划整合了初等和中等职业教育的内容。部分中等职业学校转变为学院，在学院的第二教学阶段开展高等职业教育。这种变化趋势是实现连续职业教育的前奏。这是俄罗斯职业教育管理改革的一项成功的尝试，职业教育体系的结构性改革，即初等职业教育领域出现了实科学校，中等职业教育领域出现了学院，而且每一阶段的教学计划都具有足够的伸缩性。如中等职业学校在提供中等职业教育的同时，向下也提供部分初等职业教育服务，向上提供高等教育初级阶段的服务，这样一来，整个职业教育形成了一个连续的、相互沟通的体系，为学生的进一步发展创造了很好的环境。

第四节　高等教育的治理结构

在沙皇俄国时代，俄国和大多数欧洲国家一样，由国家对高等教育机构实行严格的管理。例如，国民教育部直接管辖公立大学，地位高于中央政府的其他部门；各类不同的专门学院基本上由中央政府各部门分别管理，根据管理部门的人才需求数量和培养规格等，制订人才培养计划，并通过管辖的专门学院实施人才培养。可以看出这一时期中央集权和各部门办学的管理体制已初具雏形。

一、苏联时期高等教育行政管理体制

十月革命的胜利彻底击碎了旧的国家管理机器。苏联是在沙俄体制的废墟上经过革命性的改造正式建立起来的。苏维埃政权解散了资产阶级临时政府和其他各部的主管部门，原有的国民教育部及其他管理学校的机关不复存在。在世俗化、民主化和高效率的原则下，苏联建立了新的教育管理体制。

在高等教育方面，苏俄政府于1919年3月成立国家学术委员会，对高校实施改革。1920年1月，教育人民委员部成立了职业技术教育总局，领导和监督高校的工作。根据《关于改进新专家的培养工作的决议》和《关于国民经济干部的决议》精神，高等教育管理从20世纪30年代开始向“部门分权制”管理过渡，从此高等学校走出了教育部门的集权管理。从大学和多系科高等学校中分出若干独立的专业高等院校，归由各经济部门管理。

1932年，作为全苏第一个专门领导高等学校的机关——高等技术教育委员会正式成立。1936年，建立隶属于全苏人民委员会的全苏高等教育事业委员会，统一领导国立高等教育事业。随即高等技术教育委员会被取消。全苏

高等教育事业委员会领导苏联所有的高等学校，不论其归属哪个主管部门，高校具体的领导和管理仍由各专业部门负责。

通过改革，苏联建立并强化了高等教育管理体制，形成了中央集权领导下的行业部门所有制，“实行教育部门和经济部门双重领导、以经济部门为主的管理形式”[①]。高度中央集权的高等教育管理模式的选择，除了当时环境的迫切需求外，沙俄时期的集权传统也是一个很重要的原因。相比于沙俄时期，生产部门开始管理高等教育，条块分割的管理格局初露端倪。

1946年，全苏高等教育事业委员会改组为苏维埃联盟共和国高等教育部，直接管理全国所有高校。1959年，苏联高等教育部改为苏联加盟共和国高等教育和中等教育部。同时各加盟共和国也相继成立了高等教育和中等教育部，这一管理体制一直被保留到苏联解体。与此同时，苏联普通教育和职业技术教育在管理方面也进行了相应的调整。至此，苏联国民教育管理的三大系统形成，即主管普通教育和师范教育的苏联教育部和各加盟共和国的教育部；专管职业教育的苏联国家职业教育委员会和各加盟共和国的职业技术教育委员会；主管高等教育和中等专业教育的苏联高等和中等专业教育部以及各加盟共和国的高等和中等专业教育部。[②]该时期苏联高等教育管理体制大致表现出“条块结合”的管理特点。如图2-3所示。每所高等院校都要受到苏联高等和中等专业教育部的领导，体现纵向的条状管理。中央各业务部门对部门所属的高等学校实施直接管理，各加盟共和国专业部门对各加盟共和国各业务部门所属的高等学校实施直接管理，后者接受前者的监督和指导，这又体现了块状管理。而“条”与“块”在彼此分割的同时，其实也存在着一定的结合，以至于不少高等学校既要接受“条”又要接受“块”的管理。[③]苏联的高等和中等专业教育部的管理分为两个方面：一是对所有高校实施原则领导，二是对部属的高等教育实施直接领导。1974年，苏联成立高等教育研究所，目的是加强对高等教育问题的研究。20世纪70年代以来，

---

① 符娟明．比较高等教育［M］. 北京：北京师范大学出版社，1987：518.
② 李春生．比较教育管理［M］. 南京：江苏教育出版社，2008：284.
③ 黄福涛．外国高等教育史［M］. 上海：上海教育出版社，2003：317.

苏联高等和中等专业教育部下设了综合大学委员会、高等学校委员会和高等学校校长委员会，以此来加强对全国高等教育的领导与管理。

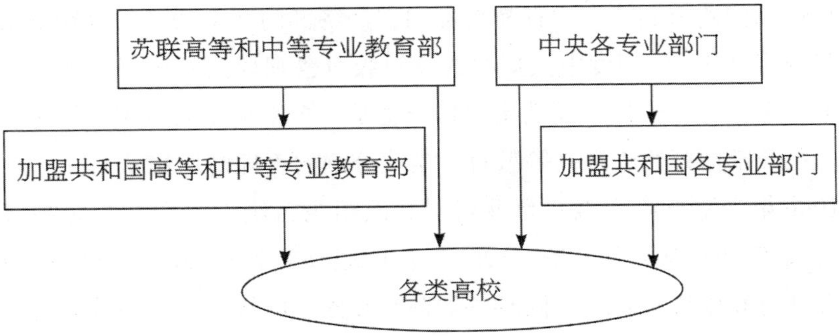

图 2–3 苏联二战后的高等教育管理体制[①]

二、高等教育行政管理层级与权限

2013年11月25日修订、2014年1月1日正式生效的《俄罗斯联邦教育法》中重新明确了各级政府在高等教育领域的权限，以便为俄罗斯社会的现代化提供服务。

（一）俄罗斯联邦高等教育权限

制定和实施教育领域的国家统一政策，保证国民在竞争基础上接受免费高等教育的权利；组织国家教育机构进行专业培训；制订、实施俄罗斯联邦教育目标计划，执行教育领域的国际方案；建立、重组联邦州教育机构，并确定其代表人的职能和权力实施的程序；批准联邦政府规定建立的联邦国家教育标准；制订从事高等教育活动的组织计划；建立联邦信息系统和教育领域的联邦数据库，包括确保按照俄罗斯联邦法律保证个人资料的保密；设立国家奖项、荣誉学位、奖励和职称；制定教育系统内各部门的员工分配制度，制定基于对劳动力市场需求的预算；建立联邦级别的教育监控系统；在

① 黄福涛．外国高等教育史 [M]．上海：上海教育出版社，2003：317.

本联邦法内行使高等教育领域的其他权力。

（二）俄罗斯联邦各主体高等教育权限

落实各项俄罗斯联邦高等教育政策，依照俄罗斯联邦法确定教育机构的创办、改组、取消和拨款的程序；为教育机构办理许可证，但高等职业教育和大学后职业教育的活动许可证办理除外；规定国家教育标准中的民族—地区（原民族—区域）部分；规定俄罗斯联邦主体教育财政拨款的标准（原指标）；对俄罗斯联邦主体管辖内的教育机构在建筑标准、卫生标准、学生保健、教学过程等诸方面的联邦要求做出补充。联邦主体同时要为俄罗斯联邦承担一部分财政支出。

（三）地方当局和市政高等教育权力

建立、重组市政教育管理机构（直辖市和高等教育市级教育机构的地方当局除外）；对楼层建筑进行维修，改善邻近区域的教育建筑；加强特定区域市政教育机构的培训；在俄罗斯联邦区域、莫斯科和圣彼得堡教育领域（包括俄罗斯联邦的教育机构合并的特定地区）由俄罗斯联邦法律规定联邦城市的权力。直辖市地方政府有权行使高等教育市级教育机构创始人的职能（2008年12月31日授予）；地方政府必须保证国民在竞争基础上享有高等教育在市级教育机构的权利。

三、高等教育行政管理机构职能

（一）联邦高等教育行政管理机构职能

独立初期，俄罗斯联邦科学、高等学校和技术政策部负责综合性大学及师范院校以外的其他高等教育机构的领导和管理工作。同时俄罗斯联邦科学、高等学校和技术政策部设立高等教育委员会来专门管理高等教育。2004年，俄罗斯总统普京重组教育管理机构，俄罗斯联邦教育部被俄罗斯联邦教育与科学部取代。

俄罗斯联邦教育与科学部是俄罗斯联邦层次教育管理的中枢，是高等教育管理的主要机构，承担着大部分的管理职能。有权就其管辖范围内的问题向联邦政府提出联邦法律、总统法令、政府决议草案，甚至可以在自己的职权范围、既定活动领域内制定相关法规，并对俄罗斯联邦教育和科学领域进行监督。

（二）联邦主体、地方高等教育管理机构职能

联邦主体和地方高等教育管理的职能，很大部分是从中央教育管理机构的权限中派生出来的，目的是贯彻中央政策，其他职能则是对中央规范和标准的补充。2000年5月13日，根据俄罗斯联邦总统令，在各联邦区设立总统全权代表机构，进行管理。其具有重要的教育管理职能，首先是对地方教育机构是否遵守现行的俄罗斯联邦教育法规、是否执行国家元首的命令进行监督。此外，俄罗斯联邦教育与科学部需根据全权代表的要求，主动向全权代表机构通报联邦计划在各区的实施情况，特别是教育领域相关计划的执行情况。

苏联时期高等教育管理的集权制，有利于国家的统一管理，但它缺乏灵活性，限制了地方在管理高等教育方面的热情。苏联解体后，俄罗斯联邦通过立法形式，对俄罗斯联邦、联邦主体和地方自治机构在高等教育领域的权限及职能进行划分。高等教育的分权管理，提高了地方和社会参与高等教育管理的积极性。俄罗斯的每一次教育变革都是自上而下的政府行为，以政府发布指令为主，从而忽略了高校自身和社会的要求，如今，俄罗斯联邦政府已经意识到这一点，从而力图改变政策，使高等教育的发展真正为国家现代化建设服务，为国家创新经济体制服务。

第三章　俄罗斯教育治理的运行机制

1992年7月颁布的《俄罗斯联邦教育法》规定“教育领域是优先领域”，确立了教育改革和发展的基本方向，为教育管理体系的建立奠定了法律基础。教育督导是俄罗斯教育行政管理的主要内容之一，通过建立一套完整的督导制度，形成一套严密的工作程序和方式，较好地保证了国家对学校的统一指导和管理，促进了学校自我约束机制的形成。根据俄罗斯相关法令规定，俄罗斯国家教育标准是各级各类学校进一步开展教育活动的依据，是教育教学内容的基本要求和标准，是教学计划、课程设置、教科书编写的重要依据，也是对学生的受教育程度及技能进行客观评价的依据。

第一节　教育体系治理的法律基础

转型时期的俄罗斯在各个领域都特别强调法治的作用，力图建立法律管理下的政府。教育领域的管理也不例外。截至1999年，联邦制定的解决教育问题的法律文本就达462个。[①]而且各联邦主体也推出了自己的法律文件，为解决教育发展问题，俄罗斯还通过了一系列的联邦总统令和联邦政府决议。这些文本的数量也多如牛毛。另外，还有一些法律文本跟教育活动并不直接相关，但是对教育管理发挥了间接的作用，比如《俄罗斯联邦税收法》和《俄罗斯联邦公民法》等。

---

① Адриан，Бентабет Э，Винокур А. Белая книга российского образования［M］. Москва：Издво МЭСИ，2000：66.

一、俄罗斯联邦教育法令的职责

根据《俄罗斯联邦教育法》第3条第1款的规定："俄罗斯联邦教育法令包括：本教育法，根据本法通过的俄罗斯联邦的其他法令，以及根据联邦法令通过的、现行的联邦各主体的法律和其他法令。"[①]

俄罗斯联邦的联邦教育法的作用[②]：

（1）划分俄罗斯联邦国家权力机关和联邦各主体国家权力机关在教育方面的权限和职责。

（2）在规定的联邦权限范围内，调节应由联邦各主权国独立解决的教育中的各种关系问题，在此意义上，俄罗斯联邦的联邦教育法是具有直接效力的法律并适用于俄罗斯联邦全境。

（3）规定与联邦各主权国权限问题有关的原则性准则。这些准则是各主权国对教育进行法律调节的依据。在此意义上，俄罗斯联邦的联邦教育法起着"教育立法纲要"的作用。

各联邦主体可以根据自己的地位和权限，制定与联邦教育法不相抵触的教育法、教育法令和其他法令。与联邦教育法相比，各联邦主体的教育法、教育法令和其他法令则不能限制自然人和法人的权利。凡破坏俄罗斯联邦教育法的自然人和法人，均根据俄罗斯联邦法律规定的程序承担责任。

二、国家对公民教育权利的保障

俄罗斯联邦教育立法的任务是在"划分国家权力机关与各层次管理机关之间的教育权限"的基础上，"保证并保护俄罗斯联邦公民享有宪法规定的受教育的权利"，并"规定自然人和法人的教育权利、义务、权限和责任，

---

① 肖甦，王义高．俄罗斯转型时期重要教育法规文献汇编［M］．北京：人民教育出版社，2009：143-144.

② 肖甦，王义高．俄罗斯转型时期重要教育法规文献汇编［M］．北京：人民教育出版社，2009：144.

并对他们在教育领域中的关系进行法律调节”[①]。对此，《俄罗斯联邦教育法》第5条做出了详细的规定[②]：

1. 居住在俄罗斯联邦境内的俄罗斯联邦公民，不受种族、民族、语言、性别、年龄、健康状况、社会地位、财产状况、职位、社会出身、居住地点、宗教态度、信仰、党派以及是否受过司法审判等的限制，均有受教育的机会。因性别、年龄、健康状况、受过司法审判而限制公民受职业教育权利的情况，只能由法律做出规定。

2. 国家通过建立教育体系和为受教育创造相应的社会经济条件的办法，保证公民受教育的权利。

3. 对初次接受普通教育和职业教育的俄罗斯公民，国家保证其在国立和地方教育机构接受国家教育标准范围内的免费普通教育和在竞争筛选基础上的免费职业教育。

4. 凡在国家认可的非国立自费教育机构就学的公民，如果这些教育机构实施普通教育大纲和职业教育大纲，其学费由国家根据相应类型的国立和相应类型的地方教育机构规定的学费标准予以补偿。

5. 为了使需要社会救济的公民实现受教育的权利，国家可全部或部分地承担他们在受教育期间的费用，接受这种救济的公民的类型、救济的形式、数额和资金来源，由俄罗斯联邦政府按规定程序确定，并报俄罗斯联邦政府批准。

6. 国家通过特别教育手段，为有智力缺陷的公民接受教育、矫正智力障碍和适应社会创造条件。

7. 国家帮助智力超常的公民接受精英教育，向他们提供专门的国家奖学金，其中包括去国外学习的奖学金，提供这些奖学金的标准和办法，由俄罗斯联邦政府规定。

---

① 肖甦，王义高．俄罗斯转型时期重要教育法规文献汇编［M］. 北京：人民教育出版社，2009：144.

② 同上。

三、教育领域权限和职责的划分

《俄罗斯联邦教育法》第三章中的第28条、第29条、第30条、第31条、第32条，对俄罗斯联邦、俄罗斯联邦各主体、国家权力机构、地方自治机关以及教育机构在教育领域的权限和职责进行了划分并做出了详细的规定。[①]

第28条　俄罗斯联邦的教育权限

俄罗斯联邦通过联邦的国家权力机关和联邦的教育管理机关，在教育领域拥有以下权力：

1.制定并实施联邦的教育政策。

2.在联邦权限范围内，对教育领域的各种关系进行法律协调。

3.在考虑社会、经济、人口和其他特点，考虑到向用俄罗斯联邦各民族语言进行教学的别国教育机构给以协助等问题的前提下，制定并实施联邦教育发展纲要和国际性纲要。

4.组建并领导联邦（中央的）国家和部门的教育管理机关，并任命其领导人。

5.在法律和相应类别教育机构的标准条例中如无其他特殊规定，将协商任命联邦所辖的教育机构领导人。

6.确定建立、改组和撤销教育机构的程序。

7.规定作为实施职业培训和职业教育依据的职业、专业目录。

8.建立、改组和撤销联邦所辖的教育机构，对教育机构进行鉴定和国家验收，建立独立于教育管理机关的国家评估和监测中心系统（国家鉴定机构）。

9.为实施联邦的教育发展纲要和联邦的其他专项教育纲要提供组织和协调的物质技术保证。

10.制定并批准教育机构的标准条例。

11.规定对教育机构颁发许可证，进行鉴定和国家验收的程序。

12.规定对国立、地方教育机构和教育管理机关的教育和管理干部进行

① 肖甦，王义高．俄罗斯转型时期重要教育法规文献汇编［M］．北京：人民教育出版社，2009：152-155.

鉴定的程序。

13. 协调劳动关系，规定教育机构中劳动量和劳动报酬的联邦标准定额。

14. 规定国家教育标准中的联邦部分，规定学历证书在俄罗斯联邦境内的同等效力，规定外国学历证书在俄罗斯联邦境内的同等效力。

15. 每年确定教育拨款在联邦收入中的比例，编制联邦的教育预算，设立教育发展基金。

16. 确定：

（1）促进教育发展的税收优惠政策；

（2）用于学生的教育经费的联邦指标；

（3）对教育机构拨款的程序；

（4）教育机构和国家教育管理机关工作人员的工资和职务工资的最低数额标准；

（5）向教育机构各类学生，以及国立、地方教育机构的工作人员提供物质优惠的条件、种类和标准；

（6）向公民个人提供国家教育贷款以及偿还方式；

（7）教育工作者的教育资格；

（8）联邦对教育机构在基建规模、标准，对学生的保健和卫生标准以及教育过程和教育场所设施的合理保障要求。

17. 如果相应类型教育机构标准条例没有规定其他程序，直接向联邦所辖的教育机构拨款。

18. 为教育系统提供信息和科学教学保证，在联邦权限范围内制定示范教学计划和课程大纲，组织出版教科书和生产教具，建立俄罗斯联邦统一的教育信息体系。

19. 建立教育体系的教育管理干部的培养和再培训体系。

20. 监督俄罗斯联邦教育法和国家教育标准中联邦部分的执行情况。

21. 设置并授予教育工作者国家奖励和荣誉称号。

22. 在其权限范围内颁布各种标准文件。

第29条　俄罗斯联邦各共和国、边疆区、州、莫斯科市、圣彼得堡市、

自治州和自治区的教育权限

1. 以其国家政权和管理最高机构为代表的组成俄罗斯联邦的各共和国的教育权限如下：

（1）制定并实施与俄罗斯联邦政策不相抵触的教育政策；

（2）制定俄罗斯联邦各共和国的教育法令；

（3）确定建立、改组和撤销教育机构及拨款方式的特殊内容。

2. 以其国家政权和管理最高机构为代表的组成俄罗斯联邦的各共和国和以其国家政权和管理机构为代表的边疆区、州、莫斯科市、圣彼得堡市、自治州和自治区的管辖权限如下：

（1）执行联邦教育政策，通过为地方预算划拨补助金的办法，从经费上加强国家对普及义务基础普通教育的保证；

（2）通过教育方面的法令；

（3）根据本民族和本地区的社会、经济、生态、文化、人口及其他方面的特点，制定并实施共和国的（包括国际的）、地区的教育发展纲要；

（4）组建并领导国家教育管理机关，任命这些机构的领导人（与联邦教育管理机关协商）；

（5）建立、改组、撤销各自管辖的教育机构，向教育机构颁发许可证；

（6）制定国家教育标准中的民族和区域部分的内容；

（7）编制共和国、边疆区、州、莫斯科市、圣彼得堡市、自治州和自治区的教育经费预算，设立相应的教育发展基金；

（8）规定地方教育税和教育经费；

（9）规定共和国、边疆区、州、莫斯科市、圣彼得堡市、自治州、自治区的教育拨款标准；

（10）为地方教育管理机关和教育机构筹措经费，并在物质技术保证方面提供中介服务；

（11）对教育机构的基建规模、标准，对学生的保健和卫生标准以及教育过程和教育场所设施合理保障的联邦要求，加以补充；

（12）在联邦给予学生和教师提供的优惠和物质保证的种类和数额的基础上，确定追加部分；

（13）在自己的权限范围内向教育机构提供信息，组织出版教科书、制定示范教学计划和教学科目大纲；

（14）组织教育干部的培养、再培养和进修活动；

（15）对俄罗斯联邦教育法令和国家教育标准的执行情况进行监督；

（16）在自己的权限范围内颁布标准文件。

第30条　国家权力管理机关教育权限的划分程序

1.本法第28条、第29条关于俄罗斯联邦和作为其组成部分的各主体（共和国）国家权力和管理机关教育权限的规定为最终规定，非经法律修改不得变更。

2.俄罗斯联邦国家最高立法机关与最高执法机关的教育权限，根据俄罗斯联邦宪法由规定俄罗斯联邦政府职能的法律条文来划分。

3.联邦（中央）各管理机关之间的教育权限，由俄罗斯联邦政府和俄罗斯联邦最高苏维埃协调确定。

4.组成俄罗斯联邦的各共和国国家政权最高立法权力机关与最高执法机关以及共和国各管理机关之间的教育权限，由各共和国的法律来界定。

5.边疆区、州、莫斯科市、圣彼得堡市、自治州、自治区国家权力机关和执行机关的教育权限，由俄罗斯联邦法律和国家权力代表机构的有关规定加以界定。

6.俄罗斯联邦法律中如无特殊规定，在不涉及保卫国家和社会安全、维护人民的生命利益和卫生防疫、捍卫公民权利和自由时，本法所规定的属于各共和国、边疆区、州、莫斯科市、圣彼得堡市、自治州、自治区和地方教育管理机关权限范围的问题，联邦（中央）和部门的国家教育管理机关无权单独予以研究解决。

7.在自己权限范围内，联邦（中央）国家教育管理机关有权对俄罗斯联邦境内的任何教育机构和教育管理机关就属于自己职权范围内的问题进行检查，也可授权给其他国家教育管理机关。

第31条　地方自治机关的教育权限

1.地方自治机关负责使本法规定的公民接受基础普通义务教育的权利付诸实现。

2.地方自治机关的特有教育权限为：

（1）为实施国家教育政策，规划、组织协调和监督地方（市政）教育管理机关和教育机构的工作；

（2）编制地方教育预算，设立地方教育发展基金，制定并通过地方教育拨款限额；

（3）保证居住在本地区的公民有选择普通教育机构的机会；

（4）在自己的权限范围内，调节教育系统内的所有制关系；

（5）建立、改组、撤销地方教育机构，对其辖区内的教育机构进行评估注册；

（6）建立、改组和撤销地方教育管理机关和学校管理区，确定其机构和权限，任命地方教育管理机关的领导人；

（7）如果相应类型教育机构的标准条例或地方自治机构的决议未作其他规定，任命地方教育机构领导人；

（8）为地方教育机构建造房舍并在其邻近区域内建造服务性设施；

（9）对属于地方教育机构的出租房屋及其设施实施监督；

（10）利用国家和地方机构，使用文化和体育设施来发展教育；

（11）就其辖区内教育机构中实施教育的条件与联邦和地方的要求相符合程度，逐年公布平均统计数字。

3.按各级地方自治机构达成的并经相应的区、市政权代表机构批准的协议，对区、辖市和其他一些区属居民点之间以及市和市辖区之间的教育权限加以界定。

4.每一层级自治机构的地方行政当局和地方权力代表机关之间的教育权限，由权力代表机关确定并由其以决议形式予以规定。

5.地方（市政）教育管理机关无权擅自处理属于国家教育管理部门权限范围内的问题。

第32条　教育机构的权限和职责

1.教育机构在俄罗斯联邦法令和教育机构章程规定范围内自行实施教育过程，选拔和配备干部，开展学术、财务、经营及其他活动。

2.教育机构的权限包括：

（1）在其财政经费许可范围内按照国家和地方的标准及要求对教育过程及教育场所的设施提供物质技术保障，提供装备教育过程及房舍装备保证；

（2）为展开本机构章程所规定的活动，吸收补助资金和设备，其中包括使用银行贷款；

（3）每年向创办者和公众报告经费收支情况；

（4）选拔、录用和配备教学人员及辅助人员，并对他们的业务水平负责；

（5）组织教学过程并完善其教法保证工作；

（6）制定并批准教育大纲和教学计划；

（7）制定并批准具体教学科目和课程的工作计划；

（8）与地方自治机关协商制定并批准年度教学安排的校历；

（9）确定教育机构工作的管理结构、人员编制和设立领导职务；

（10）在本机构的财政经费许可范围内根据联邦和地方标准规定的限度确定工资额和职务工资额；

（11）确定职务工资、附加津贴以及奖励工作人员的办法及资金额；

（12）按俄罗斯联邦法令与创办者协商制定并通过教育机构的章程；

（13）制定并通过教育机构内部规章和其他局部性决定；

（14）在本法和相应类别教育机构的条例中如无特殊规定，可在其许可限定的定额范围内自主确定学生总数并招生；

（15）根据教育机构的章程、许可和注册证明的规定，自主地实施教育过程；

（16）按本法要求和章程规定，对学生的阶段考试及成绩进行例行检查；

（17）督促对联邦、共和国的法令和地方自治机关的法令所规定的一部分学生及时提供多种类和优惠的物质保证；

（18）保证寄宿教育机构中学生的生活条件不低于规定标准；

（19）为公共饮食企业和医疗机构设在教育部门中的分支机构的工作创造必要的条件，并对其进行的旨在保护和增强师生员工身体健康的工作进行监督；

（20）协助教育和教学法研究方面的教师组织和协会开展活动；

（21）协助教育机构中的合法社会团体（其中包括儿童和青年团体）的活动；

（22）亦可实施不违反俄罗斯联邦法令和教育机构章程规定的其他活动。

3.按俄罗斯联邦法令规定的程序，教育机构对以下情况承担责任：

（1）未履行本机构权限范围内的职能；

（2）按教学计划和教学过程进度表未能完全完成教育大纲，本机构毕业生的教育质量差；

（3）教育机构的师生员工在实施教育过程时生命和健康受到威胁；

（4）教育机构师生员工的权利和自由受到损害；

（5）俄罗斯联邦法令规定的其他情况。

纵观整个20世纪90年代，俄罗斯教育领域制定的法律对中央、地区和地方在教育领域的权限已经形成相对明确的法律划分。但是，需要指出的是，尽管权力来源的合法性依据已经存在，但在实际的操作中，由于政治方面很多因素的影响，中央与地方实际权力的大小，很大程度上不是基于制度化的权力分享，而是中央和地方领导人之间讨价还价和谈判的结果，有法不依、违法不究的现象很严重。

2000年4月颁布的新版《俄罗斯联邦教育发展纲要》（以下简称《纲要》）是普京任总统后签署的第一份正规的法律文件，它对俄罗斯教育发展的现状、存在的基本问题及发展的方向和预期结果做了明确阐述。在列举教育领域存在的问题时，针对教育领域有法不依、执行力不强的情况，《纲要》指出，“建立法规执行情况的有效监督机制，建立捍卫教育过程各主体的权利和遵守教育领域的国家保障制度的有效机制，这是一个有待解决的特殊问题”，为此，提出了“应通过划分管辖对象和权力界限的合同及协议来支持各级教育管理机构之间的纵向联系”，同时“有必要进一步完善国家级和地市级教育管理机关之相互作用的整个体系”，“加强合同条件下的所有构成该系统之各个级别纵向管理，亦即联邦级、联邦各主体级、联邦与市地级、联邦各主体与市地级之间的纵向管理”[①]。这为进一步规范中央、地区

① 肖甦，王义高．俄罗斯转型时期重要教育法规文献汇编［M］．北京：人民教育出版社，2009：327，331．

和地方的教育分级管理提出了切实可行的建议。

第二节　教育行政部门行使督导职能

世界上许多国家都将教育督导视为教育行政管理的主要内容之一。俄罗斯的教育督导制度有着悠久的历史，从1869年沙俄设置国民学校检查机构，到苏联时期建立的国民教育视导总局，再到2004年新成立的教育与科学督察署，俄罗斯教育督导制度的各个方面都发生了很大的变化，每个时期教育督导的职能都被赋予了不同的意义。新修订的俄罗斯联邦教育督导制度呈现新的变化：组织机构与教育行政体制相一致，且更加细致严谨；职责更加广泛，权限更为明确；督导实施程序的操作性、民主性更强。[①]

一、教育督导机构设置、职责与实施指标体系

从苏联解体至今，俄罗斯联邦层次上的教育督导机构设置发生了两次变化：第一次是在刚解体后，把苏联期间直属于教育部的国民教育视导总局改为俄罗斯联邦教育部下设的国家教育评定督导署、评定委员会、高等评定委员会、鉴定委员会等部门。认证、评估和评定司直属于俄罗斯联邦教育部。对普通教育的督导功能主要由国家教育评定督导署、评定委员会、鉴定委员会以及认证、评估和评定部门来完成。第二次是近年随着俄罗斯联邦行政改革而发生相应的变化，现行俄罗斯联邦政府各领域权力机构由三个层次构成：第一层次是联邦部，负责研制国家发展战略；第二层次是联邦署，负责实施这些战略；第三层次是联邦局，对各种战略实施活动进行监督和督导。它们之间是相互合作的关系，署和局同处一个等级，教育与科学部部长是署和局的直接领导。在这种改革精神导引下，俄罗斯联邦对教育行政及管理部门作了重新调整，作为教育管理部门重要组成部分的教育督导系统也进行了

① 肖甦，王健红．试析俄罗斯联邦教育督导制度新变化［J］. 比较教育研究，2007（7）：7-11.

调整。

（一）教育督导机构的设置及人员组成

1. 联邦教育与科学督察署的组织结构

2004年3月9日的俄罗斯联邦总统令“关于联邦执政机关的体系和结构”规定，联邦教育与科学督察署是联邦执政机关，它履行教育与科学领域的检查和监督职能。[①]在2004年6月成立了联邦教育与科学督察署，该署由五个管理局组成[②]：认证、评估和评定管理局，下设高等和补充职业教育机构评估处、中等职业教育机构评估处、教育证书设立确认处、教育机构认证处、职业教育机构鉴定处、检查组织处；教育质量监督局，下设组织协调处、检查程序的标准教学法处、信息技术处；行政法律管理局，下设干部、资金、物质、技术保障处；联邦教育法律监督局，下设国家督导处、教育督导组织处；国家评估科学教育工作者管理局，下设人文社会科学处、自然技术科学处、生态医学和农业科学处、国防科学技术处、鉴定证书处、教学法组织处、答辩委员会处、职称处。如图3-1所示。

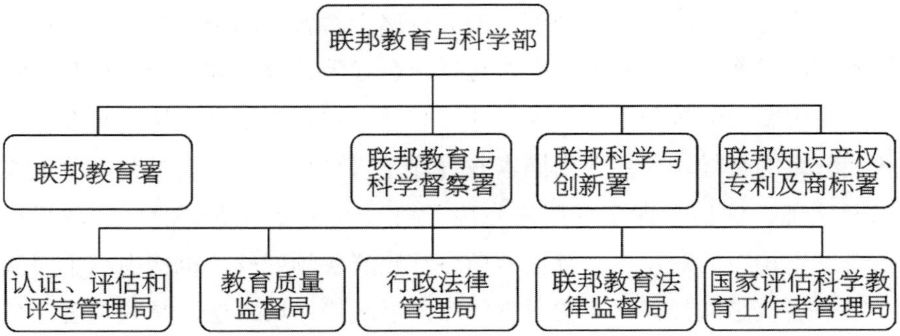

图3-1　联邦级督导组织结构图

① Нет смысла проверять знания школьной программы дважды [EB/OL]. [2006-07-25]. http: //www. Vestnik. edu. ru/bolotov3. html.

② Структула Федеральной службы по надзору в сфере образования и науки (РОСОБРНАДЗОР) [EB/OL]. [2006-08-15]. http: //www. obrnadzor. gov. ru/struktura_FS.

除了上述执行权力机关之外，督察署还配有五个直属研究机构：联邦教育测评研究所、联邦测验中心、国家教育评价总鉴定中心、国家教育鉴定代表处、教育组织评估信息教学法中心，这五个研究机构是督察署完成其检查和督导功能的理论研究阵地。

这种督导组织结构，按照一定的职能专业分工，每个部门建立职能机构担负相关专业方面的管理和研究工作，每个部门的领导又都有职能机构作为助手，从而有利于发挥职能机构的专业管理作用。新的教育督导体制更加强调各自的内部职责，每一个部门负责各自的任务，比如许可证检查、评定和认可的检查，等等。具体明确的分工以及专业化的检查，反映了俄罗斯督导体制工作的细致与周密。

2. 教育督导机构的人员组成

根据《联邦教育与科学督察署条例》，联邦教育与科学督察署的署长由俄罗斯联邦政府根据俄罗斯联邦教育与科学部的呈请任命或解任。联邦教育与科学督察署署长可以有副职，副署长由俄罗斯联邦教育与科学部根据联邦教育与科学督察署署长的呈请任命或解任。联邦教育与科学督察署副署长的数量由俄罗斯联邦政府确定。

俄罗斯的学校督导活动主要有许可证评估、教学评估和国家认证评估。三种评估活动，分别由教育管理机关组建相应的评定委员会，人员的构成不尽相同。许可证评估委员会成员不能是在许可证申请者所在机构获取工资的人。教学评估委员会由7–20人组成，一般由学校（不包括申请鉴定的学校）的代表、学术机构的代表、教学法部门的代表、职业的社会组织或团体的代表以及教育管理机构或主管部门的代表组成，以保证评定工作的客观性、公正性、公开性、权威性。评估委员会的领导由评估机构任命，工作程序、评估期限、评估方式、方法、标准也由评估机构制定。认证委员会成员由俄罗斯联邦各主体的教育管理机构、地方自治机构和（或）地区（市级）教育管理机构的代表、职业的社会组织和团体的代表以及完成了对该校进行教学评估的委员会代表组成。

（二）教育督导机构的职责

教育督导机构的职责权限是其实现教育督导目标、完成教育督导任务的基本工具，也是其发挥作用的基础。苏联教育督导机构建立之初，其主要的职责是监督。但随着教育事业的发展，国家教育管理体制日臻完善，以国家权力为后盾的教育监督和控制主要由教育立法、教育司法、教育行政部门进行，而教育督导机构主要转向专家式的视导，以导为主，以监为辅。

1. 联邦教育与科学督察署的职责

改革后的俄罗斯联邦教育与科学督察署的主要职责在普通教育阶段体现在四个方面[①]：

——检查和监督俄罗斯联邦法律在教育、科学、技术活动、青年政策、科研和科教干部考核等领域的执行情况，以及教育机构完成每个教育阶段的教学质量和毕业生的培养质量。

——依据俄罗斯联邦法律并按其规定的程序为教育机构及其分校办理许可证、考评书和认证书。

——为最高鉴定委员会提供组织上和技术上的保障。

——组织本署人员的职业培养、再培训、业务提高和进修。

改革后的俄罗斯联邦教育与科学督察署的职能范围比苏联时期的督导范围更为宽泛，除教育机关和学校对国家政策、方针的执行情况，以及教育教学质量等外，实施许可证、鉴定和认证程序都是督导工作的重要内容，这不但为督导工作的顺利展开提供了更广阔的空间，而且进一步增强了督导机构的权威性。

相对于苏联时期来讲，俄罗斯联邦教育与科学督察署在职能、权限方面的变化不是非常明显，但规定更加细致到位。新规定的督导权限为：对检查和监督中所发现的问题开展必要的调查、鉴定、分析、评价；向法人和自然人解释活动领域的问题；按规定程序邀请科学组织和其他组织、学者和专家参与研究规定活动领域的问题；制止违反俄罗斯联邦法律的事件；依据俄罗斯联邦法律抵制和消除因法人和公民违反法律所造成的后果；成立鉴定机构——理事会、委员会、工作小组和协议会。

---

① Положение о Федеральной службе по надзору в сфере образования и науки [EB/OL]. [2006-07-16]. http: //www. obrnadzor. gov. ru/polojenie_FS.

2. 地方督导部门的职责与权力

在地方教育司（局）、市（镇、乡或其他）教育委员会或市教育行政管理局等机构中设置的教育督察机构，其职责和权力包括①：

（1）研究制定、批准、细化或更改与教育局协调一致的地区认证指标。

（2）科学的方法论和教学法保障使认证程序符合出版发行的各级指标。

（3）准备教育局要求的分析资料和鉴定总结。

（4）组织并举办有关认证的咨询会议（信息交流）。

（5）受理和登记学校的一系列必需材料的认证申请。

（6）组织学校的认证工作。

（7）制定认证工作审查的进度表并筹备教育局专家进行认证的鉴定会。

（8）组织并实施检查学校提交的文件和与所申请的类型、种类（等级）相符的资料。把学校提交的资料与学校评定中获得的认证指标检查的资料进行比较，对比分析是进行鉴定的基础。

（9）在必要的条件下，组织评估委员会到学校中去查明学校出现的不符合要求的情况。进行补充鉴定的费用由学校按教育局核准的评定程序的定额标准支付。

（10）在实施认证指标评估基础上，做出为某一学校实施认证的总结评估草案，并得到教育局的同意。

（11）通知委员会成员开会的日期，形成委员会会议备忘录。

（12）准备委员会呈文和教育局局长在委员会成立时宣布的关于对学校进行国家认证或者拒绝国家认证的命令草案。

（13）给学校办理手续、注册登记和发放国家认证的证书。

（14）对已获得（确认、变更、丧失）国家认证的学校进行严格的统计，形成登记表。

（15）在证书有效期内把认证卷宗存档。

---

① 付玉红 . 俄罗斯普通教育督导制度研究［D］. 长春：东北师范大学，2006：6.

（三）教育督导实施的指标体系

1. 颁发办学许可证

为调动办学的积极性，在自治原则基础上，俄罗斯联邦把办学权交给学校，使学校成为在一定责任义务制约下独立自主的办学者。按照有关规定，俄罗斯学校的内部管理因学校的性质而异，学校享有较大的自主权。如，可以根据本机构的具体情况制定与联邦和地方教育法律法规要求不相违背的学校章程；可以自主选择本机构工作的具体目标；可以在国家教育标准和示范教学计划、教材、课程基础上，制订并实施本校的教育大纲、教学计划，确定教育内容。普通学校里的基本自治机构有普通学校委员会、督学委员会、全体职工大会、教师委员会。根据俄罗斯联邦立法和普通学校的章程规定，普通学校的内部管理实行一长制，由通过相应考核鉴定的管理者（校长）对学校进行管理。在地方自治机构的决议中无特殊规定情况下，公立学校校长由地方自治机构进行委派，私立学校校长由创办者任命。

按照《俄罗斯联邦教育法》的规定，无论何种形式的办学机构，都必须经相应的教育管理部门批准，获得办学许可证，才可开展教育活动。办学许可证由国家教育管理机关或由联邦主体立法赋予相应权力的地方自治机关发放。许可证的发证机关组建的鉴定委员会根据申请者的申请，在一个月内对学校进行鉴定工作。学校从获得办学许可证之日起，就有权从事教育活动并享有联邦法律规定的优惠待遇。教育活动许可证发放的程序是根据俄罗斯联邦政府2000年10月18日第796号《教育活动许可证颁发条例》制定的。许可证上将标明：①发放许可证机构的名称；②许可证注册号及颁发日期；③许可证购证人的姓名及地址；④纳税人号码；⑤许可证有效期。另外许可证还有附件，内容有：①教学大纲、专业方向及专业训练；②毕业后授予学生国家承认的技术等级证书；③检查标准及适合于面授的学生和教师的最多人数。根据申请人的申请许可证的发放要用最短的期限。不仅教育活动本身，以立法的形式制定的教育机构的优惠条件也在发放许可证这一刻起产生。进入教育机构的学生有权了解该机构的许可证。对于学校，不论其类型、部门特征及组织形式，俄罗斯联邦教育与科学部都确定每学年从9月1日到次年的2月28日提交学校许可证材料。

办学许可证包括六项内容：①建筑方面的标准和规定；②对普通学校教学制度和卫生条件的要求；③学校学生、毕业生和工作者健康保护；④教室设备；⑤教学过程的装备程度；⑥教育工作者的资格和编制的完整配套程度。

2. 教学评估

（1）教学评估的依据是普通教育国家标准

普通教育国家标准包括初等、基础和（完全）中等普通教育的国家标准，分为联邦、地区和学校三个层次。按规定，在面授学习条件下，用于学习普通教育国家标准联邦组成部分的时间不少于用于实施普通教育国家标准总学时的75%，用于学习地区组成部分的时间不少于总学时的10%，用于学习学校组成部分的时间不少于总学时的10%。

普通教育国家标准规定了基础教育大纲内容的最低限度和学生学习负荷的最高限量的标准和要求，并对毕业生培养水平做出具体的要求。

（2）教学评估工作的开展

根据俄罗斯联邦教育部1998年1月22日颁发的第1327号法令，全国所有学校都要每五年进行一次评估，所有地方学校评估体系都要以地方教育系统发展计划、联邦和地方教育法为依据。评估前三年内一半以上毕业生鉴定的肯定结果是学校评估的条件。对新建学校的第一次评估要根据它的申请在获得办学许可证并且第一批毕业生毕业之后进行。

根据《俄罗斯联邦教育法》、教育机构评估和国家认证条例及地区教育机构评估条例，学校在接受评估前应做一系列的准备工作：

首先，学校应在指定日期向教学评估、国家认证委员会提交申请，在申请中应写明：学校代码、希望进行评估的日期、学校提交申请时的状况、学校希望将来达到的状况。

其次，到评估委员会指定地点获取一封电子文件，里面有：清单，学校评估和国家认证条例（附1998年5月22日俄罗斯联邦普通和职业教育部1327号条例及2000年8月11日俄罗斯联邦教育部2439号条例“学校评估和国家认证条例的补充和修改部分”），教育机构评估和国家认证条例注解，地方学校评估和国家认证情况，地方评估委员会条例，地方教育委员会认证条例，国家和市政府教育机构的类型目录，申请评估和认证的表格，教育机构评估证书，对学校的校长进行评估考察的建议，对学校教育活动的内容和实施条件进行评定的建议。

再次，提交评估材料。进行评估检查的学校每年第一学期必须提供5年级、10年级、11年级学生的名单；第二学期提供3年级、9年级、11年级学生的名单。评估前一个月，把写好的材料、学校条例副本以及教育活动许可证副本交给当地指定部门，需要写的材料有：所有小学毕业生的姓名及这些学生最近的课程考试总分及教科书的作者、测试科目的教学大纲的特点。

最后，准备学校教育大纲、教学计划、学校年计划、非标准教学大纲、学生课程表、杂志、草纸、直观教具等及5个房间：测试组办公室、低年级学生20人的教室、9年级学生20人的教室、11年级学生20人的教室、学校资料工作人员办公室。

学校评估分三个阶段进行，最终目的就是要确定学校工作的实际结果是否符合它所申请的类型。

第一阶段：自评。

具体内容包括：①学校信息介绍、学校活动的权利保障、学校的周围环境。②教育教学过程的组织——学校发展的基本思想或计划，教学计划特点，学校人事保障，学校技术材料保障和为满足学生的兴趣与补充教育而组织的课内活动、教学活动等。③学校管理，包括管理的目的和任务，管理机构，根据职责的权限分配等。④学校活动结果，即教育教学水平。⑤学校发展理念，包括学校使命、学校生命活力的基本理念、教育内容等。

自评要得出一个结论，即对该校学生达到某种教育水平的成就做出判断。自评包括对教育过程组织实施水平、学校教学法和研究工作状况进行分析，对保证学校工作最优化和提高工作效率所采取的措施进行分析。

第二阶段：鉴定小组评估。

鉴定小组是一个独立的外部鉴定机构。鉴定小组首先对学校评估文件及其自评材料进行研究和分析，在此基础上确定鉴定小组工作的内容、形式和工作方法。依据自评结果，鉴定小组有权根据学校在最近三年所使用或已不再使用的教育大纲对教育活动的内容和结果进行鉴定。鉴定小组对学校活动进行评估时具体参考有：①学生掌握信息的水平。②所有学生掌握功能性知识的能力。功能性知识包括选择职业的能力，在社会政治生活中定位的能力，独立解决家庭日常生活问题的能力，保护自己权利的能力，在陌生环境中沟通的能力。③学生专业知识的成就。专业知识，即在实践活动中能够应用这些知识独立选择实践活动的方式方法。④学校的心理环境。⑤学生对待学校和朋友的态度。⑥学校在家长中的声望。⑦学校负责人对学校活动的评价。

鉴定小组在学校的工作时间总共不能超过5天，根据鉴定小组的工作结果要做出一个总结。

第三阶段：评估委员会的工作。

被评学校的行政机构和创办人在场的情况下，评估委员会审查鉴定小组的结论，并对学校学生及毕业生培养的内容、水平和质量是否符合国家教育标准和学校所申请的水平做出最后的结论。

3. 国家认证

要想获得国家认证，学校应向教育管理机构提供下列文件：申请、评估委员会结果复印件、学校通过评估的法令复印件、活动许可证复印件。根据要求，学校的类型、形式和范畴是认证委员会工作中关注的对象和内容；在国立学校地位确定的情况下，认证委员会应审查下列指标：教育大纲实施的水平，教育大纲实施的方向，班级结构，毕业生培养质量，干部保障，教育过程的工艺信息装备，学生所在地的社会医疗条件。还可能审查学校活动是否符合俄罗斯联邦法律的要求，包括教育过程中学生权利的保护。

国家教育管理机构要根据认证委员会的报告做出通过认证或拒绝认证的决定。认证通知要在做出决定后两周内发给学校。实施国家认证的教育管理机构，每年要向教育部提供一次通过认证或没通过认证的学校数量，以及这些学校的类型、形式和范畴。从学校获得国家认证资格证书那一刻起，学校就有权对自己的毕业生发放相应层次和技能的国家证书，普通学校就有权根据其类型享受国家中央财政拨款，甚至学前教育机构和补充教育机构的孩子也有权享受国家拨款。

第三节　国家教育标准的制定与实施

苏联时期的教育集权化管理体系决定了教学计划、教科书的统一性。苏联解体后，在教育管理去集权化和教育内容多样化发展背景下，俄罗斯制定和实施国家教育标准，保证教育质量，为教育监督和评价提供统一的依据。

根据《俄罗斯联邦教育法》第8条规定，俄罗斯联邦教育体系是各级各类教育大纲和各级国家教育标准以及培养方向体系的总和。[①]俄罗斯联邦实施的教育大纲分为普通（基础和补充）教育大纲和职业（基础和补充）教育大纲。而每个基础普通教育大纲中或每个基础职业教育大纲中规定的必修的最低限度内容由相应的国家教育标准加以确定。学生根据个人的需要，可以自主选择教育形式，包括全日制学校教育、家庭教育、自学和走读，并允许各种教育形式互相结合。

2007年12月1日，俄罗斯联邦第309号法令确立了新的国家教育标准。新的国家教育标准以原来初等普通教育、基础普通教育、中等（完全）普通教育、初等职业教育、中等职业教育和高等职业教育的发展规划为基础，其目标是实现俄罗斯联邦教育空间的统一。

俄罗斯国家教育标准既是学校开展教育活动的依据，也是对学生的教育水平及技能进行客观评价的根据，现在俄罗斯进行的针对9年级学生、11年级和12年级毕业生的国家鉴定都是依据国家教育标准开展的。

一、国家教育标准的制定

《俄罗斯联邦教育法》第7条规定，除法律规定的情况外，国家教育标准的制定、批准和实施办法由俄罗斯联邦政府确定；基础普通教育的国家教育标准经俄罗斯联邦最高委员会批准；至少每10年修订一次。

除了《俄罗斯联邦教育法》对国家教育标准制定的上述规定之外，俄罗斯联邦政府还另有专项规定。如1994年2月28日，俄罗斯联邦政府发布的

---

① 肖甦，王义高．俄罗斯转型时期重要教育法规文献汇编［M］．北京：人民教育出版社，2009：145.

《关于俄罗斯联邦初等普通教育、基础普通教育、中等（完全）普通教育和初等职业教育国家标准制定与颁布的有关规定》；2000年4月8日发布的《联邦国家学前教育标准》；2005年1月21日发布的《俄罗斯联邦初等职业教育、中等职业教育、高等职业教育和大学后职业教育国家标准与颁布的有关规定》；等等。这些专项规定分别明确了不同层次、不同类型的教育标准制定与颁布规则。

2009年2月24日，俄罗斯联邦政府批准了《联邦国家教育标准制定与颁布规则》，该规则确定了联邦国家教育标准制定和颁布的原则和程序：

——国家教育标准是实现当前初等普通教育、基础普通教育、中等（完全）普通教育、初等职业教育、中等职业教育和高等职业教育计划的总要求。

——国家教育标准可以根据教育层次、教育程度、职业、培训方向和专业制定。

——俄罗斯联邦教育与科学部保证吸收相关的权力执行机构、教育系统的社会团体、主要教育与科学机构、科研与教师团体的代表、雇主协会、参与教育管理的社会机构参加制定标准。

——国家教育标准的制定要考虑个人、国家与社会发展、国防与国家安全、教育、科学、文化、技术、能源、经济与社会、当前以及未来需求。

——包含国家机密信息的高等职业教育标准方案由联邦权力机构制定和颁布。

——制定好的标准草案要提交俄罗斯联邦教育与科学部。

——俄罗斯联邦教育与科学部收到标准草案后要立即将其上传至官方网站，公示一周，以方便吸收相关的权力执行机构、教育系统的社会团体、主要教育与科学的机构、科研与教师团体代表、雇主协会、参与管理的社会机构参加讨论；收到标准草案7日内要将其送交相关部门进行专业鉴定；根据鉴定结果批准和实施标准，或修订。

——标准草案的专业鉴定在俄罗斯联邦教育与科学部将其上交后14日内由雇主联合会，在相应经济行业开展活动的组织，对初等职业教育、中等职业教育和高等职业教育标准草案进行鉴定；参与教育管理的社会机构、俄罗斯联邦各主体从事教育管理的行政机关，对普通教育标准草案进行鉴定；俄罗斯联邦国防部和联邦兵役立法行政机关对培养预备役人员有关的初等职业教育和中等职业教育标准草案进行鉴定。

——鉴定委员会向俄罗斯联邦教育与科学部递交由鉴定组织和机构领导或者全权代表签字的鉴定结果。鉴定结果最终由俄罗斯联邦教育与科学部批准。

——接受热心公众和组织提意见的时间期限是从标准草案上传至俄罗斯联邦教育与科学部官方网站起14日内。

——俄罗斯联邦教育与科学部成立专门的联邦国家教育标准委员会（以下简称“委员会”）审查标准、鉴定结论和讨论热心公众及组织的建议。标准草案、专家鉴定和热心公众及组织的建议从当前法规第8条和第10条所规定的时间起5日内上交到委员会；委员会自标准草案、专家鉴定和热心公众及组织的建议上交之日起14日内对其进行研究。委员会审查结果，并提出批准、修订或否决标准草案的建议。委员会的建议在通过后3日内上报俄罗斯联邦教育与科学部。

——委员会的研究结果上交后7日内俄罗斯联邦教育与科学部即颁布标准，或者对标准草案进行修改，或者否决标准草案。

——修订后的草案由设计人员上交俄罗斯联邦教育与科学部；在收到后5日内由俄罗斯联邦教育与科学部进行审查，再交由设计人员对其修订；根据对标准草案审查结果，俄罗斯联邦教育与科学部要做出符合一个当前法规第15条规定的决定；俄罗斯联邦教育与科学部要在接收到修订后的草案5日内，决定是否向设计人员发出否决决定。教育与科研组织可以主动不计报酬地制定教育标准草案，并向俄罗斯联邦教育与科学部提交，俄罗斯联邦教育与科学部根据当前法规第7—17条规定进行审查并批准。

俄罗斯联邦普通教育国家标准一直由俄罗斯教科院制定完成。研究普通教育阶段国家教育标准的理论基础是俄罗斯教科院教学内容与方法研究所的主要工作方向之一。该研究所在俄罗斯教育科学理论界率先开展了国家教育标准方面的基础研究，从1992年开始，最早着手制定国家教育标准，当时几个机构同时准备了不同方案。1994年教育部宣布开展制定基础教育标准联邦部分的竞赛，当时的俄罗斯教科院普通教育研究所集体制定的课程标准在竞赛中获胜，承担了第一代普通教育标准的制定工作。俄罗斯教科院在长期的工作中积累了制定教育标准的研究经验，一些基本性原则在以后数次制定标准中均得到发展。俄罗斯教科院于2001年开始设计教育标准草案，2003年12月29日由教育部总务委员会批准通过。2007年俄罗斯颁布了新的教育标准的制定原则，俄罗斯教科院2009—2011年分别完成了普通教育阶段1–4年级、5–9年级、10–11年级的国家教育标准的制定。

而职业教育标准草案的制定，根据专业的不同，分别由不同的院校来承担完成。目前俄罗斯联邦教育与科学部公布了职业教育阶段部分专业新的教育标准。中等职业教育专业标准分别由具有相应专业优势的学校制定，由俄罗斯联邦教育与科学部批准公布并实施。

二、国家教育标准的实施

在国家教育标准的指导下，俄罗斯联邦教育与科学部进一步颁发了《俄罗斯初等、基础、中等（完全）普通教育师范教育纲要》《实施普通教育大纲的俄罗斯联邦教育机构的联邦基准教学计划和示范教学计划》，进一步规范中小学校的教学计划和课程实施等工作。下面以初等普通教育为例予以说明。

（一）初等普通教育的课程设置

按照国家教育标准的规定初等普通教育阶段共设10门课程，要求如下。

1. 语言（俄语、母语）

（1）培养学生对俄罗斯语言文化的认同，以及语言作为民族自我意识基础的初步认识。

（2）使学生理解语言是民族文化现象和人类交流的基本方式，认识到俄语作为俄罗斯联邦的国家官方语言和民族交流语言的重要性。

（3）认同将规范口语和书面语视为人们共同文化和公民意识的指标。

（4）形成对俄语和本民族文字语言（正音、词汇、语法）以及语体规范的初步认识；学会确定交流的目的、任务、方法和条件，选择与之相符的语言表达方式以顺利完成交流任务。

（5）掌握利用语言进行学习活动和利用语言知识解决认识、实践和交流任务的能力。

2. 文学阅读（母语阅读）

（1）认识到文学是一种民族和世界文化现象，是保留和传承精神财富及传统的一种工具。

（2）认识到阅读对于个人发展的重要性；形成世界观、俄罗斯历史文化观、原始伦理观、善恶观、道德观；保证能够有效学习所有学科；培养对系统化阅读的需要。

（3）认识到阅读的作用，学会运用不同的阅读方式（认知型阅读、研究型阅读、选择性阅读、搜索型阅读）；学会自觉理解和评析各类文章的内容和特点并参与讨论，能够对主人公的行为做出道德评价并说明理由。

（4）达到继续接受教育所需必要的阅读能力水平，达到一般语言发展水平，掌握朗读和默读的技巧，学会利用基本的文学概念来解读、分析和改写艺术、科普、教学类文章。

（5）学会自主选择感兴趣的文学作品；利用参考资料理解和获得额外信息。

3. 外语

（1）获得在口头和书面形式中利用外语媒介进行交际的初级技巧；掌握语言和非语言行为的规范。

（2）掌握外语口语和书面语表达所需的语言知识，拓宽语言视野。

（3）在熟悉同龄外国儿童的生活、接触儿童民间创作及儿童读物的基础上形成对其他语言载体的宽容与友好态度。

4. 数学和信息学

（1）运用初等数学知识来描述和解释周围物体、过程和现象，以及评估它们的数量和空间关系。

（2）掌握逻辑和数学思维、空间想象能力和数学语言，学会测量、换算和估算，直观表示数据过程，编写和执行算法。

（3）获得运用基本的数学知识来解决教学认识和教学实践问题的经验。

（4）学会用数学和数字表达式进行口算和笔算、根据算法计算或建构简单的算法，学会分析、观察和绘制几何图形，学会利用表格、系统图、曲线图、示意图、关系图、集合等呈现、分析和解释数据。

（5）掌握计算机基本知识。

5. 社会科学和自然科学（周围世界）

（1）了解俄罗斯在世界历史中的特殊地位，培养对民族成就、民族发明和民族胜利的自豪感。

（2）形成对自己的国家、家乡、历史、文化、本国的自然环境和现代生活的尊重态度。

（3）认识到周围世界的整体性，掌握基本的生态知识，了解自然和人类世界中道德行为的基本规则，掌握自然和社会环境中健康行为的标准。

（4）掌握研究自然和社会的常用方法（利用从家庭资料、周围人和开放的信息空间上获取的信息进行观察、记录、测量、实验、比较、分类等）。

（5）提高发现周围世界的因果联系的能力。

6. 俄罗斯民族精神道德文化基础

（1）为道德的自主完善，精神的自主发展做好准备。

（2）熟悉世俗和宗教道德的基本规范，理解它们在家庭和社会中建立结构性关系的重要性。

（3）理解道德、信仰和宗教在家庭生活和社会生活中的重要性。

（4）形成对世俗道德、传统宗教及其在俄罗斯文学、历史、现代生活中作用的初步认识。

（5）初步认识传统宗教在俄罗斯国家形成中的历史作用。

（6）个人行为内在动机要符合其良知，培养以信仰自由、信教自由和俄罗斯民族宗教传统自由为基础的道德观。

（7）认识到人类生命的价值。

7. 艺术（造型艺术）

（1）了解造型艺术在人类日常生活中和人类精神道德发展中的重要性。

（2）形成造型艺术文化的基础，运用本土艺术文化资料进行艺术创作和艺术交流，用美学态度看世界；理解美的价值。

（3）掌握理解、分析、评价艺术作品的能力。

（4）掌握在不同类型的造型艺术活动中（素描、写生画、雕塑、艺术设计），也包括以信息通信技术（数码照片、视频、动画等）为基础的特殊形式的艺术活动中，进行实际操作的基本能力和技巧。

8. 音乐

（1）形成对音乐在人们生活中及在人类宗教道德发展中的作用的初步认识。

（2）培养音乐文化的基础，可以依靠本土音乐文化资料，提升艺术品位和增强对音乐艺术及音乐活动的兴趣。

（3）学会理解与欣赏音乐，表达自己对音乐作品的态度。

（4）可以利用音乐知识创作戏剧或音乐作品及演奏音乐合唱作品。

9. 工艺学

（1）形成劳动在人们的社会生活中具有创造性和精神意义的初步认识；形成对职场和正确选择职业重要性的初步认识。

（2）拥有把物质文化作为人类物质革新活动成果的初步认识。

（3）培养自我服务技能，掌握手工加工材料的技术方法，掌握安全技术规则。

（4）运用已有知识、能力创造性地完成简单的设计，完成艺术计划（工艺艺术设计）、具有技术性和组织性的任务。

（5）获得共同生产、合作、互助、规划和组织的初步技能。

（6）获得关于制造物体及信息媒介的规则的初步知识，学会利用知识完成认识、艺术设计的任务。

10. 体育

（1）了解体育加强人体健康（生理、心理）及促进人类发展（身体、智力、情感、社会性）的重要意义，认识到体育和健康是保障个体有效学习和社会化的重要因素。

（2）具备组织促进健康的活动的能力（作息制度、早操、保健措施、户外活动等）。

（3）形成持续观察自己的健康、身体负荷量、身体机能指标（身高、体重等）、基本身体素质的指标（力量、速度、耐力、协调性、柔韧性）的习惯。

（二）初等普通教育的课程实施

初等普通教育教学大纲（以下简称“教学大纲”）为保证贯彻和实施《标准》的要求，规定了学生一般学习负担和最大课时量，以及各年级（各学年）必修课程和任务，详见表3-1。

表3-1　必修课程和任务

课　程	实施课程内容的主要任务
语　文	形成对俄罗斯语言和文化空间复杂性的初步认识，形成语言作为民族自我意识基础的初步认识 发展口语、书面语、会话和独白的语言能力、交际能力，进行创造性活动的能力
数学和信息学	发展数学语言、逻辑和算法思维、想象能力，形成对计算机知识的初步认识
社会科学和自然科学	形成对家庭、村落、城市、行政区，俄罗斯历史、文化、自然环境、现代生活的尊重态度 认识到有重要价值的东西、周围世界的整体性和多样性以及自己在这个世界中所处的位置 建立在日常生活条件下和异常情况下安全行为的模式 培养在社会生活中的心理素质和专长
俄罗斯民族	培养精神发展和道德自我完善的能力
精神道德文化基础	形成对世俗道德、本国传统宗教及其在俄罗斯文化、历史、现代生活中作用的初步认识
艺　术	发展从艺术—形象，道德—价值方面理解造型艺术和音乐艺术作品的能力，以及在创作作品中表达自己对周围世界的态度的能力

续表

课　程	实施课程内容的主要任务
工艺学	形成学习和认识的基础，进行搜索分析并利用其他学科所学的知识实践性地解决应用性问题，形成实践性改造活动的最初经验
体　育	增强体质，促进身体、道德、社会性的和谐发展，促进有效的学习，形成通过体育方法自我调节的初步能力，形成保持和巩固身体健康的目标，养成健康安全的生活方式

初等普通教育大纲可以包含一个或几个教学计划。

在实施初等普通教育大纲的情况下，教育机构确定教育过程组织形式和课内课外活动的交替形式。在遵守俄罗斯联邦教育法律规定的情况下，教学计划保障俄联邦主体运用俄语和母语进行教学、学生运用俄语和母语进行学习的可能性。

为了满足学生的个性化需求，教学大纲对教学时间做出了如下规定：增加了个别必修课的教学时间；保证满足学生的不同兴趣和需求的教学课程的时间；课外活动的时间；在4个学年内，课时量不应当少于2 904学时，不应当超过3 210学时。

（三）莫斯科807中学的课程设置

莫斯科807中学是莫斯科市国立普通教育机构，包括小学部和中学部。该校遵循国家教育标准联邦成分设置课程，所有课程包括国家教育标准课程、地区课程和教育机构课程。表3–2、表3–3、表3–4是该校1–4年级的教学计划和课程表，可以看到该校在小学阶段的教学任务和课程设置。

表 3-2 莫斯科 807 中学 2012—2013 学年 1-2 年级课程设置（单位：学时）①

教育领域的基础课程	列入课程表的科目	综合学习的科目	年级	
			1 年级	2 年级
语言（语言和文学）	俄语	信息学和信息交际技术	4	5
	文学阅读		4	3
	英语		—	2
数学	数学	信息学和信息交际技术	4	4
周围世界	周围世界	生命安全、信息学和信息交际技术	2	2
体育	优育	生命安全	2	2
	身体素质		1	1
艺术、工艺	艺术、工艺	生命安全	2	2
音乐	音乐		1	1
基础部分合计			20	22
依据学生选择进行的个性化的团体课			—	—
有趣的英语			1	1
课外阅读			—	1
俄语和信息学及信息交际技术			1	1
数学，信息学及信息交际技术			1	1
设计活动			—	1
游览活动			1	1
俄语			—	1
数学			—	1
教育机构成分			3	7
学生最低课堂承担量（一周五天）			20	22
建议一天家庭作业的最大限度（一周五天）			—	1.5

① 姜晓燕，赵伟．俄罗斯基础教育 [M]. 上海：同济大学出版社，2015：70-71.

表 3-3　莫斯科 807 中学 2012—2013 学年 3-4 年级课程设置（单位：学时）①

教育成分			年级	
基地计划	教学科目	综合学习科目	3 年级	4 年级
语文	俄语		5	5
	文学阅读		3	3
	英语		2	2
数学与信息学	数学		4	4
周围世界	周围世界	生命安全	2	2
体育	体育		2	2
	身体素质		1	1
艺术、工艺	绘画艺术 工艺		2	2
音乐	音乐		1	1
周课内学习负担量合计			22	22
学校部分			7	7
学生选择的课程			—	—
社会人文方向			—	—
课外阅读			1	1
游戏和任务信息学			1	1
学生选择的个性团体课程			—	—
俄语			1	1
数学			1	1
英语			—	—
设计活动			1	1
游览活动			1	1
家庭任务咨询			—	—
数学			1	1
建议一天家庭作业最大限度			1.5	2

① 姜晓燕，赵伟．俄罗斯基础教育 [M]．上海：同济大学出版社，2015：71-72.

表 3-4　莫斯科 807 中学 2012—2013 学年 1-4 年级课程表①

		一年级第 1 学期	一年级第 2 学期	二年级第 1 学期	二年级第 2 学期	三年级第 1 学期	三年级第 2 学期	四年级第 1 学期	四年级第 2 学期
周一	1	音乐	体育	俄语	俄语	英语	俄语	数学	俄语
	2	俄语	数学	英语	周围世界	体育	英语	生命安全	数学
	3	体育	阅读	数学	数学	数学	体育	俄语	生命安全
	4	阅读	周围世界	音乐	生命安全	俄语	周围世界	英语	阅读
	5	—	—	体育	音乐	生命安全	生命安全	体育	班会
	6	—	—	—	—	—	—	—	信息学
周二	1	数学	俄语	俄语	俄语	俄语	俄语	宗教文化与世俗道德基础	宗教文化与世俗道德基础
	2	俄语	数学	生命安全	体育	数学	数学	俄语	俄语
	3	阅读	周围世界	数学	数学	周围世界	周围世界	英语	体育
	4	生命安全	体育	阅读	阅读	阅读	阅读	周围世界	周围世界
	5	—	—	—	—	—	体育	音乐	劳动

① 姜晓燕，赵伟 . 俄罗斯基础教育 [M]. 上海：同济大学出版社，2015：72-73.

续表

		一年级第 1 学期	一年级第 2 学期	二年级第 1 学期	二年级第 2 学期	三年级第 1 学期	三年级第 2 学期	四年级第 1 学期	四年级第 2 学期
周三	1	数学	俄语	俄语	英语	劳动	俄语	俄语	音乐
	2	周围世界	阅读	周围世界	数学	音乐	数学	阅读	英语
	3	俄语	数学	劳动	俄语	俄语	劳动	体育	数学
	4	阅读	生命安全	数学	周围世界	体育	音乐	数学	俄语
	5	—	英语	班会	班会	阅读	班会	英语	阅读
		—	—	—	—	—	信息	—	—
周四	1	阅读 / 信息	体育	俄语	俄语	俄语	俄语	数学	英语
	2	数学	俄语	阅读	体育	体育	英语	俄语	数学
	3	周围世界	阅读	英语	数学	数学	数学	体育	俄语
	4	体育	劳动	周围世界	阅读	阅读	阅读	阅读	体育
	5	班会	—	体育	—	—	—	班会	—
		—	—	—	—	—	—	信息	—
周五	1	俄语	数学 / 信息	体育	俄语	英语	俄语	劳动	阅读
	2	数学	音乐	数学	阅读	数学	数学	周围世界	体育
	3	劳动	俄语	俄语	体育	俄语	体育	阅读	数学
	4	体育	阅读	阅读	劳动	周围世界	阅读	数学	周围世界
	5	英语	班会	—	英语	班会	—	—	—
		—	—	—	—	信息	—	—	—

俄罗斯新国家教育标准的制定与实施，是为了保证教育质量评价体系的建立。苏联时期没有全国统一的学生学业成绩和技能测试，为了对学生的教育程度及技能进行客观评价，现在的俄罗斯正在开展针对9年级学生和11年级、12年级毕业生国家鉴定，试图创建一种评价学生是否达到了国家教育标准要求的评价体系，以此构建达到世界水平的教育质量和标准体系。

第四章　俄罗斯普通教育的社会治理

向完全的社会管理发展，是未来俄罗斯教育管理改革的一个重要目标。正如2011年3月19日俄罗斯联邦教育与科学部部长富尔先科在总结2010年工作时所指出的：教育全面现代化成功的一个关键条件和因素是教育机构的完全社会参与，以及地方和地区层面上形成教育政策过程中的完全社会参与。吸引社会机构参与教育管理，应赋予这些机构一系列的管理权限。[①]

第一节　教育社会治理模式形成的背景

俄罗斯的教育民主化和教育社会化思潮是社会治理模式兴起的前提。20世纪80年代，俄罗斯提出教育民主化和教育社会化的学校改革的基本原则。第聂伯罗夫指出："教育民主化是学校改革的目标、手段和保障。它不仅仅局限于教育和学校管理体制的变化，而且渗透于学校生活的方方面面，包括学校的精神、学校的内部系统等。教育民主化要解放教育关系，从根本上改变它，由从属和对立走向合作，包括成年人和孩子的合作，教师和管理人员的合作，学校、社会和国家的合作。"[②]教育民主化和教育社会化思潮要求在教育领域建立国家与社会合作共管的机制，从根本上变革学校，让学校从封闭走向社会，满足社会发展需要和受教育者的社会化需求，培养符合社会准则的公民。

---

① Материалы к выступлению Министра образования и науки Российской Федерации Фурсенко А на заседании итоговой коллегии Минобрнауки России 19 марта 2011 года［EB/OL］.［2011-03-23］. http: //www. edu. ru/.

② Днепров Э. Д. Современная школьная реформа в России［M］. M.：Наука，1998：45-47.

2012年12月29日颁布的《俄罗斯联邦教育法》对学校、教师和学生享有的权利和义务做出了明确的规定。其中规定，俄罗斯实行联邦、联邦主体、地方三级教育管理体制，教育管理建立在法治、民主、学校自治和教育信息公开的基础之上，具有国家和社会共治的性质。学校享有自治权，实行民主管理，应保障教师、学生和学生家长参与学校管理的权利；学校教师享有自主选择教学形式、教学方法的自由；学生享有受教育权，享有对教育形式、教学形式和教育活动组织形式的选择权，应保障学生各种能力的自由发展。为保障学生个性的形成和社会化发展，该教育法基于终身教育的理念将补充教育细化为儿童补充教育、成人补充教育和补充职业教育三个类别。学生不仅可以按照普通教学大纲学习，还可以根据个人成长和发展的需要，通过个性化教学大纲获取知识和技能。新的《俄罗斯联邦教育法》体现了学校的自治权和民主化管理，尊重师生的民主权利，保障学生家长对学校教育的知情权、选择权、参与权和监督权，让家长充分参与学校的管理，对完善学校、家庭、社会三位一体的教育体系和营造良好的学校教育环境发挥了重要作用。①

2014年2月4日发布的题为《我们的新学校》的“国家教育倡议”为俄罗斯普通教育学校创新发展指明了方向。2010年，时任俄罗斯总统梅德韦杰夫指出：“‘国家教育倡议’的意义和实质在于创建新型学校，开发学生的个人潜能，培养他们对学习和知识的兴趣，追求向上的精神境界和健康的生活方式，根据国家现代化和创新发展目标培训学生，为未来的职业活动做好准备。”②“国家教育倡议”概括了未来新型学校应具备的特点。第一，建立新学校是一项符合教育超前发展目标的政策。学生在学校不仅要学习过去的知识成果，还要学习未来可能用到的技术。吸引学生参加科研项目和创造性活动，教会孩子发明创造、理解与掌握新知识、勇于表达个人思想、独立做出决定、互帮互助和发现自己的潜能。第二，新学校是大众的学校。任何

---

① 王森．俄罗斯联邦《教育法》中教育法律规范的新变化［J］．外国中小学教育，2013，32（12）：1-7.

② Дмитрий Медведев утвердил инициативу «Наша новая школа»［EB/OL］.［2010-01-21］. http: //www. kremlin. ru/events/president/news/6683.

一所学校都应该保障生活困难的残疾儿童、无父母照顾儿童的顺利社会化。同时要考虑学生的年龄特点，分别组织初等普通教育、基础普通教育和中等普通教育阶段的教学。第三，新学校是新教师的学校。教师要接受新事物，懂得儿童心理和学生发展特征，通晓自己的教学科目。教师的任务是帮助学生找到自己的未来，成为独立的、有创造能力的和自信的人。能够敏锐洞察学生的兴趣、善于接受新事物的教师是未来新学校的重要表征。第四，新学校是家长与社区、文化机构、卫生保健机构、体育运动机构、休闲机构等社会组织互动的中心。学校作为休闲中心将在工作日和周日开放，尤其是每逢学校的节日、音乐会、戏剧演出、体育比赛时应成为社区家庭休闲的场所。“国家教育倡议”还确定了普通教育学校改革的主要任务：向新教育标准过渡，开发天才儿童的支持系统，完善教师队伍，改善学校的基础设施，保护和加强学生的健康，扩大学校的自主权。①

第二节　家长委员会和家长学校

在普通教育领域创办家长委员会是俄罗斯从苏联时期就有的优良传统。②伴随着《俄罗斯联邦教育法》及其他教育文件的颁布，俄罗斯联邦政府赋予家长参与学校管理的权利，进而为家长委员会的创办提供法律保障。

---

① Национальная образовательная инициатива «Наша новая школа» [EB/OL]. [2010-02-04]. http: //минобрнауки. рф/документы/1450.

② 苏联教育家苏霍姆林斯基所领导的学校——帕夫雷什中学创建了家长学校，收到很好的教育效果。当时很多苏联学校都效仿之，帕夫雷什中学也成为全世界的“教育圣地”，至今仍有来自各国的教育代表团体去该校参观访问。苏霍姆林斯基在做家长工作的过程中发现，仅仅通过家访和开家长会的形式来和家长沟通，解决孩子的教育问题远远不够，学校和学生家长都认为有必要创建一个专门的机构。当时，在帕夫雷什中学创办了三种类型的家长学校，第一种是为即将做父母的年轻夫妇开办的；第二种是为即将入学的学生家长开办的；第三种是按照年级分班，为各年级的学生家长开办的。家长学校要求父母双方同时参与学习，安排固定时间，每次学习 1-1.5 小时。每次学习的内容都由校长和优秀教师确定，主要讲授家庭问题的重要性，教育孩子的技巧和方法，如何和孩子沟通，提高家长们教育孩子的理论水平和实践能力。

一、设立的法律依据

《俄罗斯联邦教育法》规定，俄罗斯教育管理原则为国家——民主管理原则，教育主体包括教师、学生和学生家长，他们都有权参加学校的教育活动管理。从法律层面保证家长具有参与学校管理的权利。

2000年俄罗斯联邦政府批准的《俄罗斯联邦国民教育要义》规定应“扩大社会对教育管理的参与”，国家应为“教育职业团体参与制定联邦级和地区级的教育政策”提供保障。2002年俄罗斯联邦政府通过的《2010年前俄罗斯教育现代化构想》中以“在划分教育政策主体之间的责任关系的基础上加强对教育发展的管理”为题，论述了俄罗斯教育现代化进程中除应保障教育系统的开放性外，还应强化所有教育政策主体在教育领域的作用及其之间的互相促进关系。这个过程既应当由相应的法规文件来保证，也应由社会积极参与发展教育的切实机制来保证。这里所指的教育系统的开放，主要是指教育系统之外的组织和个人（即社会中立机构、社会组织、家长等）参与教育管理。这些文件的颁布，确定了国家—社会管理教育的基本原则。家长作为利益相关者有权参与国家教育行政管理。未成年人的家长作为监护人或法人代表有权参与普通教育机构的管理。

2013年9月新修订的《俄罗斯联邦教育法》开始实施，其中第44条和第45条明确规定了未成年人家长在教育领域的基本权利、义务和责任。主要权利有：家长在所有其他人面前有教育自己孩子的绝对权利，他们有责任为孩子身体、道德和智力的发展打好基础；国家权力机构、地方自治机构和教育组织有责任帮助家长教育未成年人，保持和增强孩子的身体心理健康，发展其个人才能，对破坏其发展的方面进行及时纠正；未成年学生的家长有权利在家庭中给予孩子学前、初等、基础和中等完全教育。按照家长的决定，在家获得教育的孩子有权在任何一个教育层级的教育机构中继续接受教育；家长有权了解教育机构章程、教育许可和国家认证的证明，以及教学大纲和调整教育过程的文件；有权了解教学过程的进展和内容，并有权评价自己孩子的学习成绩；有权保护学生的权益；有权获得对学生进行调查的各类信息（医疗、心理和教学等），有权赞同进行这方面的调查，也有权拒绝；有权按照教育机构章程规定的形式参与教育机构的管理；在心理方法教学委员会对孩子进行调查的时候，家长有权出席，并有权就调查结果做出结论时参与讨论，表达个人意见，在教学和教育孩子方面提出建议。相应地，家长的义务则包括：未成年人家长（法人代表）有义务确保孩子获得普通教育；有义务遵守教育机构章程和学校法规；有义务尊敬教育机构教师和学生的荣誉和尊严；未成年人家长的其他义务由俄罗斯联邦法律、教育机构章程以及学校法规确定；如果没有完成本法和其他联邦法规及教育机构法规所规定的义务，未成年人家长须承担联邦法律规定的责任。

二、联邦层面的家长委员会

俄罗斯的家长委员会属于非营利的社会组织机构。为实施国家一社会管理教育的原则，俄罗斯设立了不同层次的家长委员会。在联邦层面创办的家长委员会，组织全俄的家长代表实现家长和学生权利，构建全俄家长委员会网络组织，参与全俄的教育管理工作。

现实中，一个家长很难独立应对各方面因素对孩子的负面影响，很难独立地保护家庭的利益和孩子的权利，而多个家长团结在一起，不但可以壮大力量，更好地维护孩子们的权利，同时也能交流和传播优秀学校的教育方法，这是家长委员会的创建以及开展活动的主要原因。更主要的原因还在于，每个家长都有责任关心自己的孩子，都有责任去做可能对培养孩子和关心孩子有益的一切事情。2000年，在俄罗斯联邦教育部、全俄教师协会及普通教育机构校长联盟的倡议下，在家长和教师自愿的情况下，俄罗斯创办了全俄家长委员会，其目的为：保持和稳固家庭精神道德基础，复兴最好的家庭传统；促进孩子和家长维护自己在教育领域、大众媒体、卫生、广告领域的权利，保障学生和家长的知情权；保障俄罗斯联邦宪法所保障的个人权利和个人自由；促进家长自治组织建设，促进保护家庭和儿童的家长社会活动。

该委员会组建之后做了很多有意义的工作，如在教学、社会科学、法理学、医学和心理学等很多领域引入专家进行合作，介绍了很多具有普遍意义的、保护家庭和孩子的法律诉讼程序，回复家长的咨询，对公共利益的行动进行法律支持，为家长出版参考书以及信息通报，参与法律法规的制定工作，对教科书进行鉴定，开办讨论会和国际研讨会，参与大小不同的活动，参与家长活动，与俄罗斯和国外友好组织保持联系和合作。此外，还创办网站，在网站上设立了“学校与家庭”“法律法规”“法律咨询”“家长活动”等多个栏目，对家长感兴趣的教育问题和权利保护问题进行详细讲解，网站设有管理员，与家长和学生进行互相交流。

全俄家长委员会普及面广，涉及问题范围大，有力地弥补了学校创办的“家长委员会”的不足。实际上，这些举措使家长委员会不仅具有保护家长和儿童的权利、参与管理教育的职能，也增添了家长学校所承担的教育家长的责任。全俄罗斯所有的家长都是家长委员会工作的主要支撑。

三、市属家长委员会和家长学校

在地方层面，很多城市创办了家长委员会及家长学校，组织本地市家长参与地方教育管理工作，维护家长和学生的利益。各市教育管理部门还组织创办家长学校，对家长进行教育方法方面的培训，引导家长做好家庭教育。

（一）市属家长委员会——以圣彼得堡家长委员会为例

市属家长委员会是地区社会组织。圣彼得堡家长委员会是一个家长集体，家长们聚集在一起共同解决培养孩子的问题，相互支持和交流教育经验，在与管理机构与社会服务机构打交道的过程中捍卫自己家庭的利益，组织开展娱乐、教育和培养活动。

1.性质与创办目的

圣彼得堡家长委员会聚集了圣彼得堡教育机构中的家长代表、倡议团体代表以及家长俱乐部代表，在家长和孩子们自愿的基础上开展活动。委员会不会从国家或地方预算中得到资金，项目实施所需资金主要来源于参与者自身的财务支出，或者一些具体活动的赞助商。家长委员会依据本组织的章程开展活动，委员会的组建原则和创办思想将家长们团结在一起。

家长委员会没有政治或商业目的，家长委员会创办的最主要目标，就是要用家庭来维系其存在，而这一点正是培养优秀、有知识、健康的孩子的基础。家长委员会尊重和保护传统，提高社会道德精神，最终保障俄罗斯的未来。现代家庭需要科学的育儿知识，家庭教育有利于俄罗斯社会的进步。

依据教育研究成果和社会要求，在家长和教师的监督下，学前教育和学校教育提供优质的基础教育，并保障孩子全面发展。家长委员会围绕培养能够保护好国家、家庭和传统的俄罗斯新一代公民，探索学校和家庭教育的合作模式。一个共同的愿望将家长们团结在一块，那就是将孩子培养成为一个道德良好、身体健康、聪明、有知识、勤劳、勇敢，并善于确立和实现目标，能够与周围的人和世界和睦相处的人。为实现家长委员会的既定目标，家长们组织开展"家长小组"活动，发表家庭教育方面的文章，与教育机构合作开展家长教育和家长自我管理活动，帮助家庭保护自身利益。

2. 组织原则

圣彼得堡家长委员会的构建依据网络项目原则，即委员会没有任何严格的上下层级。每个人为自己选择一个项目，并尽可能做好这个项目。通常，家长会对和自己的孩子共同参与项目活动感兴趣，这才是家长委员会创建的初衷。

家长委员会行事的依据是，任何一个积极的倡议，只要是有益于形成健康家庭价值观，都不应该拒绝，而是要支持。家长委员会也是秉持这种思想开展项目活动的。项目的宗旨是：在俄罗斯传统价值观背景下，发展孩子的个性；支持家长努力培养具有新思想的、健康的一代人；帮助家长提升其教育培养能力；在家庭受到攻击的任何情况下，保护家庭的利益；在法律、家庭和行政权力面前，代表圣彼得堡家庭的利益。总之，家长没有企图给委员会人为确定这样或那样的方向，而是让其自然发展。

3. 组织的项目

圣彼得堡家长委员会网站中设置了"我们的项目"专栏，其中介绍了家长委员会组织过的各类项目及其实施情况，还有录像和照片等资料。如果读者对现有项目有建议或对组织形式有新想法，可以和项目管理员进行沟通；如果读者想获得项目的相关新消息，那就参与到项目中。该委员会2012年、2013年开展的比较受欢迎的项目如表4-1所示。

表 4-1 圣彼得堡家长委员会组织的各类项目一览表①

序号	项目名称	实施时间	版主或管理员	简介
1	睡前故事	2012.5	玛利亚·斯米尔诺娃（国家戏剧艺术研究院副教授）	经常更新、推荐世界著名的儿童故事与童话故事，并设有讨论专栏，鼓励家长和孩子参与讨论。该项目还提供很多故事视频
2	积极家长学校	2013.12	圣彼得堡家长委员会领导机构	该项目组织讲座，让家长了解其权利，教会家长如何参与学校管理，还有一些著名学者和官方组织帮助学生解决学习和考试中出现的问题等
3	自己动手	2012.6	圣彼得堡家长委员会领导机构	组织家长和孩子们对课外活动内容展开讨论，并教孩子们做各种手工，分享课外活动的经验和问题等
4	家庭活动俱乐部	2012.4	圣彼得堡家长委员会领导机构	组织圣彼得堡市家庭聚会，包括音乐聚会、野外远足以及共同开展有意义的纪念活动等
5	学校教科书	2012.5	圣彼得堡家长委员会领导机构	为家长和孩子们及时公布国家各级教育标准和教育大纲，并为孩子们推荐各类教科书和教学参考书

除此之外，2011年10月10日起，圣彼得堡市开通了家庭与童年问题热线电话——“家长热线”，这是圣彼得堡家长委员会和地区社会组织“家庭权益”联合开展的服务。“家长热线”是友好的、自愿参与的一种服务，给每个关注家长委员会的人以帮助。该服务不能也不打算开“万能药方”，而是建议探索一个正确的解决方法。“家长热线”不但是家长们、教师们和教育者们的咨询顾问和助手，而且对于扩大家长们的社交圈也十分有益。

① 姜晓燕，赵伟．俄罗斯基础教育 [M]. 上海：同济大学出版社，2015：226.

（二）市属家长学校

家长学校的创办者不仅仅是各中小学，很多市属教育机构也纷纷开办家长学校，共同解决中小学生的教育问题。

莫斯科市教育局创办咨询中心，专门开设家长学校。根据专家的要求，结合孩子自身条件，家长学校组织专家与家庭共同商议，保障孩子发展和教育，帮助孩子适应、融入社会。家长学校在家庭内部的互助方面给予家长指导，在家庭教育、组织孩子活动中帮助家庭成员建立相互信任的关系。家长学校的活动形式主要有上课、会见、座谈、中心工作人员给家长提供个别咨询、开展家长培训、开展节日活动、开办家长技能班等。

下诺夫哥罗德地区沃洛达尔斯克市教育局开办了家长学校。家长学校让有经验的家长和准父母们获得全方位帮助。家长学校的课程安排在每周四下午14时至17时，所有家长都可以来听课。听课的家长在家长学校学会很多知识，例如，在与孩子有关的各种生活场景中，家长学会应对、解决发生的一些问题，并能够与孩子建立起相互信任的关系。家长学校的课程结束之后，每个听课的家长都会得到相应的教学资料和出席课堂的听课证书，这个证书可以成为日后监护的重要参考文件。

市属家长委员会和家长学校的建立对于该市学生家长参与地方教育管理有着积极的意义，同时也促进了地方家长自身教育素养的提高。几乎所有的俄罗斯地方教育管理机构都提议或亲自组织建立家长委员会和家长学校。有的城市的家长委员会和家长学校隶属于教育行政管理部门，有的则以社会组织的形式独立存在，有的采用其他的名字（例如“家长联盟”“家长互助会”）通过网络或其他形式发挥着家长委员会和家长学校的作用。总之，无论是何种性质、何种形式或何种名称，这些市属家长委员会和家长学校为地方教育的发展、教育管理水平的提高都做出了积极的贡献。

四、圣彼得堡市305学校个案分析

发挥具体作用和高频率开展活动的家长委员会和家长学校主要集中在各地普通教育机构中。下面以圣彼得堡市305学校为例，详细介绍该校家长委员会和家长学校情况。

（一）家长委员会

1. 学校家长委员会

学校家长委员会是学校的自治机构之一，由校长直接管理。其创建的目的主要在于学校和家庭共同协作，促进学生接受初等、基础和中等教育，促进学生社会化，使之成为具有高尚道德品质和良好素质的公民。学校家长委员会依据《俄罗斯联邦宪法》和《俄罗斯联邦教育法》开展活动，同时也遵循其他联邦法律和地区法律以及学校章程和委员会条例。为了确保对学生施加统一的教育影响，提高教育成效，巩固家庭、学校、社会组织之间的关系，学校家长委员会利用家长潜在社会资源帮助学校保护学生和教师的法律权益，巩固学校的物质基础，完善实施教育过程的条件，保护学生的生活健康。学校家长委员会组织家长学习和了解其权利和义务，认识到在家庭中对学生进行全面教育的意义。

学校家长委员会的工作内容有：协调和管理班级家长委员会；在学生家长中间，就其权利和义务问题进行解答和解释；帮助学校行政部门组织课外活动；在学生、教师和教职工作人员中间全面提高威信；吸引家长积极参与学校活动，按照学生的居住地分别对学生进行教育，促进学生自我管理能力的发展；与其功能相适应的其他工作。

学校家长委员会的权利：在其职权范围内，为学校行政部门提供建议；涉及其职权范围的各组织机构的问题，有权进行解释；听取和收集来自教育机构领导、其他学校自治机构的信息；参与部门法规的讨论工作；邀请学生家长商讨班级家长委员会的决定；在家庭教育中失职的家长，委员会有权进行公开的社会谴责；奖励在委员会做出积极贡献的学生家长，帮助实施社会活动；确定普通学校家长会议召开的必要性；其职权范围内相适应的其他权利。

每年开学初，在班级家长会议上，选举学校家长委员会的代表。学校家长委员会从中选举主席及秘书，校长和其他学校自治机构的代表可以出席委员会的工作会议。学校家长委员会的代表可以出席教师委员会、其他自治组织的个别会议。委员会的工作按照计划实施，但计划要征得校长同意。学校家长委员会的主席及其他成员一年至少两次在家长共同会议上做工作报告。超过在半数成员参加的会议上，学校家长委员会有权做出决定，只有多数票赞成决定才能生效。学校家长委员会会议按照协议定期召开。委员会会议的纪要中明确讨论问题的程序，以及委员会成员的建议和意见。纪要由秘书书写整理，由秘书和主席签字确认后，转交学校保存5年。学校家长委员会主席的职责主要有：完成学期工作计划，执行委员会和其他自治机构的决议，在家庭教育方面确定学校领导和学生家长之间的合作关系。

学校家长委员会在工作中与学校自治机构及校长就学生之间的权利冲突等问题交换意见，与城市其他组织、机构、企业等就其职权范围内的问题交涉。

2. 班级家长委员会

班级家长委员会是家长自治组织的执行机构，成员在家长会上通过公开投票选举产生，任期为1年，人数为3–5人。该委员会依据班级家长委员会条例、家长会确定的计划和班主任的建议开展活动。班级家长委员会的主要任务是协调家长和教师之间的活动；保持儿童—成年协会的传统；在组织家长孩子共同活动的过程中，创建家长资料数据库。班级家长委员会的主要工作包括组织早场游戏、运动会、竞赛、旅游、远足、茶炊、晚间集会、修缮教室、篝火晚会、音乐会、星期六义务劳动、“我们的兴趣世界”展览等。通过调查问卷和家长的个人访谈等形式，家长委员会确定每个家庭对班级可能提供的实际帮助，包括组织上、法律上、信息上、知识以及财务上的资源。这些资料会记录在家长资源卡片上，形成一个鼓励学生、家长和教师共同参与班级事务的特殊机制。家长委员会还协助筹备家长会。

班级家长委员会的工作形式是工作会议，工作会议每个季度至少召开一次，家长委员会的积极分子利用家长资源库，创建筹委会，在组织具体活动中提出建议，协助筹备和开展活动，奖励优秀组织者，与班主任一起筹备和组织家长会。班级家长委员会与班主任协商开展活动，在教师会议、学校代表大会上代表家长和孩子们的利益。班级家长委员会工作会议首先检查之前家长会和积极分子家长会议决定的完成情况，委员会的工作都记录在会议纪要上。班级家长委员会将其工作情况通过教室角、图片和报告等形式告之班级儿童—成人协会。班级家长委员会每年在班级家长会上报告一次工作情况，如果家长和孩子们不满意其工作，可以重选委员会。

圣彼得堡305学校的家长委员会层次分明，学校的家长委员会由班级家长选举产生，代表全校家长的利益诉求，参与学校的日常管理工作。班级家长委员会履行班级家长应尽的责任和义务，行使其权利。该机构的学校家长委员会和班级家长委员会都设立了章程，该组织按照章程开展活动，同时该章程对家长委员会的权利、责任和工作形式等做出了详细的规定，使活动有法可依，有计划有步骤地进行。

（二）家长学校

为了让孩子更好、更快地适应学校生活，家长学校对一年级学生及其家长进行学前的心理教育。家长学校还经常为家长提供教育孩子的指导办法。为了给孩子营造一个良好的成长环境，家长学校帮助家长分析学校和家庭之间的关系，提供了很多有意义的话题，例如，家长如何和老师处理好关系？老师和家庭之间建立何种关系，才能够培养好孩子，让其在身心各方面得到健康发展？家长学校还告诫老师不要因为学生的一点错误就把家长叫到学校，家长也应更耐心地了解孩子心里甚至是日记里的东西，让孩子愿意更多地与父母进行精神层次的交流。还指出，家庭的氛围对于孩子的成长有着至关重要的作用。

家长学校还特意为低年级的学生父母讲授一些课程，教会家长指导低年级学生掌握学习方法。例如，在二年级有书写方法、愉快阅读、有效记忆的学习方法、阅读技巧等专题介绍。三年级包括小学的评价标准、三年级的学生应该会什么。

（三）学校网站开放“致家长”专栏

为了学生、家长快速了解学校状况，学校的官方网站上专门开设了“致家长”专栏。在这个栏目里，包括以下几个方面的内容：

——入学和开除的程序。介绍学校招收学生和开除学生的相关规定。对于一年级新生入学条件和程序，学校做出详细的介绍，家长们在带领孩子入学的时候，应有秩序地报名入学。该栏目还详细列举了开除学生的理由，告诫学生遵守规则的同时，也让家长有知情权。

——教科书目。校园网上及时挂出每个学期每个年级所使用的教科书和参考书，征求家长意见，让家长充分了解各年级的教学用书和参考资料，家长可以正确快速地帮助孩子选择参考书目。

——有偿补充教育服务。在这个栏目中详细规定了学校对学前、小学儿童有偿补充教育规范，提供有偿教育服务的各种条例以及需要签署的合同样本。做到有偿服务规范、公开、透明。

——国家结业考核和国家统一考试。这个栏目公布学校每年国家结业考核的相关资料，包括国家结业考核的基本注意事项、国家的相关规定，以及各个班级的结业考核成绩。公布国家统一考试的相关资料，包括国家统一考试的规则和程序、展示资料、法律文件、考试的提前安排以及咨询和投诉等，并且及时公布国家统一考试成绩。家长通过这些资料可以了解国家结业考核和国家统一考试的相关规定，可以做到心中有数，辅导孩子的时候，可以有的放矢。同时也可以根据规定，行使自己的权利，如果有异议，也可以提出申诉。

——学校发展。这个栏目是介绍学校的发展情况，以图片的形式分别介绍了学校的发展历程以及学校取得的成就，不但培养孩子热爱学校的情感，还让学生了解学校的历史，及时洞悉学校的未来发展。

——班级。在这个栏目中，随便点击某个班级，都会自动弹出这个班级的详情页面，介绍这个班级具体情况，利于家长快速了解班级和老师的情况，方便与班主任沟通。

该校还通过家长学校和家长专栏等形式及时通报学校教育教学状况，让家长在孩子成长、学习及考试等多方面得到全方位的信息。可以看出，学校的很多措施都非常具体细微，甚至直接涉及每个孩子的阅读技巧和课外活动的开展。正是这些具体细微的工作才能保障孩子们在学校、家庭快乐健康地成长为有知识、品质优秀、勇敢勤劳的新一代俄罗斯公民。

第三节　俄罗斯社区学校模式

俄罗斯现代意义上的社区（Местное сообщество）在20世纪90年代以后才出现。社区依据历史、文化、经济、公共用地和其他完整社区具有的特征而划分，其边界不能超越市辖区范围。社区的最高领导机构是社区群众大会和社区代表大会。社区下设社区委员会和社区监察委员会，其性质为自愿性和非商业性的自治机构。社区活动资金由自筹资金和国家预算资金两部分构成。社区机构不是一级国家行政组织，社区与政府机构之间的合作以合约为基础，但是区政府有权检查社区委员会的工作，社区所采取的一切措施须上报区政府，出现分歧时，由区政府负责协调解决。[①]随着俄罗斯社区的出现和普通教育改革的深入，社区教育问题开始进入人们的视野。1996—1997年间，在西伯利亚克拉斯诺亚尔斯克市举办的校长和教师系列培训班上，美国学者艾伯特·迪西（Albert Dysy）和莎拉·林德曼·科马罗娃（Sarah Lindemann-Komarova）提出了在俄罗斯普通教育学校基础上创建社区学校的构想。社区学校模式作为一个特殊的学校教育和社会教育现象引起了俄罗斯教育界的极大兴趣和关注，成为俄罗斯普通教育改革中新型教育模式创新的热点。2017年，俄罗斯已有46个联邦主体共计700余所学校开展了社区学校建设，社区学校模式得了较广泛的社会认同。[②]

一、社区学校模式与主题活动的多样化

（一）社区学校模式

俄罗斯社区学校（Общественно-активная школа）名称的俄语字面意思为“社会活动学校”，与西方的社区学校（Community school）名称不对等。

“俄罗斯社区学校是一所不仅把为学生提供教育服务作为学校的目标，同时也将社区发展当作学校的目标，吸引家长和社区居民共同解决学校和社区所面临的社会和其他问题的普通教育学校。”[③]社区学校不仅给学生提供必要的专业教育，还要培养学生的参与意识和自我实现的能力。社区学校奉

① Закон города Москвы от 10. 07. 96 N 26-77 О территориальном общественном самоуправлении в городе Москве [EB/OL]. [2017-10-19]. http: //base. garant. ru/309500/.

② 王森．俄罗斯基础教育改革中的社区学校模式研究［J］．比较教育研究，2018（2）：61-67.

③ Валюшицкая И. В，Максименко Н. А，Насонова Е. В，Фомина Е. Ю. Российская модель ОАШ [R]. КРМОО Центр “Сотрудничество” г. Красноярск，2004：19.

行社会本位的教育理念，面向社区，与社区居民、社区组织机构建立积极的伙伴关系，共同解决学校和社区存在的问题。社区学校的建设目标不仅是促进普通教育学校的创新发展，还要成为社区的文化和社会资源中心。

俄罗斯学者认为，要提高学生参与社会活动的积极性，就必须为学生提供一个让他们一试身手的空间。学校与社区的融合发展为学生提供了一个广阔的社会实践平台。随着学校社会实践活动的深入，学生内在的积极性就会被激发出来，进而产生对社会活动的兴趣和需要。该过程包括学生对社会现象的认知，在集体互动中发现社会需求，参加具有社会价值意义的实践活动。以上这些是创造条件让学生参与当地社区发展，解决学校和社区问题的基础。[①]俄罗斯社区学校模式由学校教育民主化、学校与社区关系伙伴化、学校和社区服务志愿化三个基本活动模块构成。

社区学校教育民主化活动包括学校教学活动民主化、课外活动民主化和学校管理活动民主化。在协调学校内部关系，以及在邀请社区代表解决学校教育问题时要求采用伙伴关系原则。作为社区教育机构，社区学校可以转变为公民中心、启蒙中心、文化中心、志愿活动中心，成为社区居民的资源中心，进而形成俄罗斯社会的基层民主基础。

社区学校与社区伙伴化活动旨在发展和巩固社区学校与社区的社会伙伴关系。社会伙伴关系包括社区学校与学生家长、教育管理机关、商业性和非商业性组织、社区居民的建设性合作。伙伴关系原则在整个活动过程中一以贯之。

社区学校和社区服务志愿化活动旨在激发社区各年龄段居民（不论年龄、国籍、信仰、种族）参与解决学校和社区问题的积极性。志愿服务制度是学校服务社会的一种形式，给学生提供了自我实现和自我肯定的机会。通过学生独立设计和开展志愿活动，培养学生发现和解决社会问题的能力，形成学生的社会适应能力。学生的社会化是社区学校的一项重要任务。社区

---

① Гончаров М. А，Шкуров А. Ю. Государственно-общественное управление образовательной организаций и модель общественно-активной школы：открытая педагогика сотрудничества [J]. Наука и школа，2017，22（3）：60-67.

学校使学校教育贴近学生的日常生活，学校教育变得更加富有成效。同时，依靠学校广泛的社会化活动，利用社区资源可以解决学校的一些运行和发展问题。

（二）社区学校主题活动多样化

俄罗斯基础教育学校根据各自地区、学校、社区的具体情况，通过围绕社区学校模式的三个基本模块进行主题活动设计，开展多样化的活动。俄罗斯社区学校运动指导专家，莫斯科社会管理学院科尔涅托夫（Г.Б.Корнетов）教授诠释了俄罗斯社区学校模式主题活动多样化的特点[①]：①社区学校是博物馆，它向学生打开了解全人类文化财富的通道；②社区学校是工作坊，它使学生沉浸于制作各种物质和理想产品的创造性活动；③社区学校是实验室，它让学生参加独立和集体的创造性探索活动，发现真理，创造知识；④社区学校是民主社区，它是一个按照民主制度规则运行和发展的完整社会组织；⑤社区学校是社会中心，它积极融入社区生活，成为社区利益的焦点；⑥社区学校是社会教育中心，它致力于成为社区的教育中心和年青一代的社会化中心，训练他们为未来的社会生活做准备；⑦社区学校是志愿活动中心，在社区实施各种各样的志愿计划，帮助解决社区和社区主体遇到的各种问题，促进学生道德的形成和社会积极性的发展，使之获得宝贵的自我肯定和自我实现的个性品质；⑧社区学校是社会伙伴中心，它致力于发展与社区和居民的平等、自由、互利的关系和开展具有社会意义的合作。

以下援引几个俄罗斯社区学校模式主题活动典型案例。

1. 索契第八中学“建筑——索契城市历史的一面镜子”活动计划[②]

活动项目组于2002年9月组建，团队成员由7年级学生和俄罗斯建筑科学院南方分院的建筑专家、博物馆研究员、疗养院管理人员和学生家长组

---

① Корнетов Г. Б. Феномен общественно активной школы в контексте развития демократической педагогики [M]. M. : АСОУ，2009：199.

② Антонова Э. Е，Антонян Л. К，Тривайлова С. В. Практическая реализация модели ОАШ. Сочинский опыт [M]. Сочинская городская детская общественная организация «Эдельвейс»，Центр «Общественно-активная школа»，2003：30-32.

成。活动的目的是通过收集和研究城市建筑的历史资料，举办宣传城市发展历史的展览，吸引学生关注城市社会发展问题，形成学生独立工作的意识，进而培养学生热爱自己城市的情感。项目组按照如下步骤开展工作：召集具有相同爱好的学生组成项目团队；组织与建筑专家、博物馆研究人员的见面咨询会；收集建筑古迹的建立时间、建筑师、建筑历史等信息；通过学校新闻中心向学生宣传活动情况，招募志愿者；为参加公益活动募集举办展览的经费；整理资料，在学校举办“索契市的建筑遗迹”专题展览。每座城市的建筑遗迹都是一座独特的纪念碑，它映射出了过去人们的生活条件、文化和劳动创作活动。由学生在学校博物馆举办陈列展览，以学生自己的视角观察城市的过去，激发学生的研究兴趣，并在学生中产生共鸣，有利于学生形成对故乡传统文化的认知，培养积极的公民觉悟。

2. 鄂木斯克市第十三中学“文化对话的学校”活动计划①

该学校所在的小区是一个多民族居民聚集的社区。该活动的目的是通过开展学生科研活动，加强各民族文化间的对话，培养学生的爱国主义精神和民族团结意识。民族学校教育的一个重要特点是，在教育过程中要兼顾居住在本地区各民族的文化价值观和传统习俗。研究多民族的历史文化，可以丰富学生的精神文化生活，使学生养成尊重其他民族的民族传统的习惯。在2000—2002学年，学校确定了“西伯利亚鞑靼民族的谚语和俗语研究”“鄂木斯克民族志史研究”“19世纪西伯利亚鞑靼人的装饰图案研究”三个科研方向。学生通过参与科研工作，获得了从事科研活动的技能，了解了其他民族的文化，促进了与不同民族和宗教信仰的人交往能力的形成，增强了社会适应能力。

3. 普斯科夫普希金中学“我是俄罗斯公民”活动计划②

2012年，普斯科夫普希金中学利用总统竞选的氛围，与学校选举委员

---

① Моргунова О. А. Воспитание патриотизма через научно-исследовательскую деятельность учащихся ОАШ [C]//Реализация модели общественно-активной школы в образовательном пространстве г. Омска (Сборник статей по материалам городскойконференции), 2003：23-24.

② Иванова О. Ю. Проект «Я-гражданин России»：активизаци я жителей микрорайона [EB/OL]. [2017-07-23]. http: //oash. info/library/view/480.

会合作，开展了一项旨在激发社区居民的公民意识，推动社区居民积极参与竞选投票的活动。活动包括：在1–5年级学生中举办“我是俄罗斯公民”书画展；6–9年级学生在课上介绍总统选举进程、举办竞选知识讲座；7–11年级学生组织“模拟竞选” 活动。其中“模拟竞选”活动最为精彩，活动邀请了学生、教师和家长参加，在学生中组建了竞选委员会，每个班推选出一位“总统职位的竞选候选人”。活动取得了理想的效果，在“总统选举”中本校选民的投票率达到了56%。学校的活动还引起了当地媒体《信使报》的关注，该报对活动开展情况进行了详细报道。因为这次活动，学校与《信使报》结成了社会合作伙伴，并签署了进一步合作的协议。

4. 哈卡斯共和国拉茨韦特中学“快闪行动”活动计划[①]

“快闪行动”作为信息化时代的一种新颖的社会实践形式，可以有效促进学生自我肯定性评价和共同参与感的形成，激发学生对解决国家、地区、社区、学校所存在问题的兴趣，帮助学生适应社会生活，从正面影响学生的社会化进程。活动的组织者认为此行动具有如下特点：是针对同类学生的一种社会活动；容易召集到足够的参与人员；可以给日常生活带来一抹亮色，使观众和参加者都能感受到一种正能量。这种活动尤其适合高年级学生，高年级学生因为要准备高考，学习时间紧，一般不太乐意参加课外活动。而“快闪行动”因占用时间少，无须做大量准备，很受学生们的欢迎。学校曾经举办过道路交通安全“快闪行动”，宣传口号是“道路是生命的符号”；学生健康生活方式“快闪行动”，宣传口号是“我们选择生活”。这些活动获得了理想的效果。“快闪行动”是各年龄段学生皆易接受的社会实践形式，这种活动不涉及学生的学习成绩和个性品质，所有学生都可以从团队活动中获得良好的体验。

二、俄罗斯社区学校模式的成效

随着社区学校模式的推广，俄罗斯普通教育学校中存在的一些问题得以

① Ложкина М. С. Программа «Флешмоб–интерактивная форм асоциализации школьников» [J]. Сотрудничество. 2016，26（4）：12–14.

解决，《我们的新学校》国家教育倡议和俄罗斯新的联邦国家教育标准中所提出的目标正逐步得到落实。

（一）社会各界对社区学校模式作用的认识进一步加深

经过近二十年的发展，各级教育行政管理部门、学校管理人员和教师对社区学校模式形成了较强的认同感。譬如，在《莫斯科州2013—2015年教育发展长期专项计划》中就确立了“研究和推行社区学校模式和开展社区学校间网络互动”的目标。2013年5–6月，莫斯科州教育管理部门在其所辖的1 417所学校进行了一次大规模的调研活动。调查问卷中“您了解什么是社区学校模式吗”的问题得到了1 236所学校的肯定答案；针对问题“您对社区学校评价如何”，862所学校给予了正面答案；“您所在的教育机构的规范性文件里对社区学校模式是否有所反映”的问题收到了563所学校的肯定答复。问卷调查结果显示，莫斯科周边地区相当数量的学校不仅了解社区学校模式，而且已经在使用或准备使用社区学校模式的经验。①

（二）活跃了学校的教育民主化气氛

因学校大量志愿活动的开展，社区学校开始被社区居民视为社区社会活动倡议发起的中心。学校的各种志愿活动，一方面激发了学校师生、社区居民参与社会活动的积极性；另一方面也获取了一些社区居民和社会组织的赞助，缓解了一些学校活动资金缺乏的窘况。②学校的各种志愿活动吸引了各类专家为学生提供咨询服务，学生通过社会实践获得了基本的职业技能经验，学校实施社会项目的能力得到了增强。

实施社区学校模式的学校先后建立起了学校董事会、家长委员会、预防未成年人犯罪委员会、儿童组织委员会和学生科研协会等一系列组织，使学校的民主管理制度更加健全。这些组织不仅积极开展校内活动，而且还经常发起和组织有意义的社区活动。学校教育民主化气氛对完善学校、家庭、社会三位一体的教育体系，营造良好的教学教育环境，促进学生的全面发展发

① Корнетов Г. Б. Российская модель общественно активной школы [J]. Школьные технологии, 2014, 15（6）: 69–75.

② Чеглакова. Л. М. Оценка проекта «Общественно-активные школы в России: объединяем усилия» [R]. Самара: Центр «Социальная механика», 2008: 4–5.

挥了十分积极的作用。

（三）国家教育倡议和新的联邦国家教育标准正逐步得以落实

2014年2月4日发布的《我们的新学校》国家教育倡议为俄罗斯普通教育学校创新发展指明了方向，对普通教育学校提出了向新教育标准过渡的目标。强调新型学校的“教育结果不仅仅是具体学科的知识，而且也是日常生活中应用知识的能力”。社区学校模式以社会本位观作为自己的教育哲学理念，倡导终身学习、社会参与和资源的有效利用，并以此开展活动，有效促进了学生社会化问题的解决。俄罗斯新的联邦国家教育标准强调：学校不仅应该专注于学生的智力发展，而且应该关注学生的公民精神和文化生活。[①]要求学生个性品质的培养和发展应符合信息社会和创新经济的要求，在宽容、文化对话的原则下和尊重多民族、多元文化和多种信仰的基础上建设俄罗斯公民社会。俄罗斯社区学校模式在解决上述问题中具备得天独厚的条件。社区学校与周围社区有着千丝万缕的联系，能够及时感知和捕捉到社会生活的变化，诸如，信息化社会和创新经济的发展趋势、俄罗斯公民社会的构建任务以及学生真实的日常生活等情况，并将其融入学校的教育活动中去。社区学校模式已经成为促进学生个性品质形成的重要方式。

俄罗斯新的联邦国家教育标准强调课外活动在学校教育教学过程中的重要地位。要求在尊重学生和家长意愿的基础上，按照学生的个性发展方向组织课外活动。教师针对需要教育心理校正帮助的儿童开设的个别课程、个别辅导、集体辅导和远程辅导，学生做家务、参观、小组活动、圆桌会议、学术社团活动、学科奥林匹克竞赛、运动会、科研探索等均可列入课外活动范围。课外活动的内容要求体现在学校的基本教育大纲中。课堂活动和课外活动如何交替进行可由学校决定，但需征得家长和学生的同意。俄罗斯新的联邦国家教育标准专门给课外活动分配了时间，以确保课外活动在教学过程中的地位。新教育标准以系统活动观为基础，将各种教育活动视为学生在不

① Приказ Минобрнауки России от 17 декабря 2010 года № 1897 «Об утверждении и введении в действие федерального государственного образовательного стандарта основного общего образования» [EB/OL]. [2015-06-26]. http: //минобрнауки. рф/документы/543.

同学科领域开展专业教学活动的有效方式。社区学校模式拥有多样化主题活动，为学生课外活动的开展提供了大量可资借鉴的范例。社区学校开设了大量符合学生实际和社区要求的专业课程，通过各类主题活动来积累学生的社会生活经验，促进了学生职业选择能力的形成，为学生融入社会生活打下了坚实的基础。

三、俄罗斯社区学校模式实施中存在的问题

俄罗斯普通教育区域发展不均衡，城乡教育差异较大。第一，一些地区的教育管理部门和学校管理人员思想封闭保守，长期以来习惯了“自上而下式”的管理模式，自主创新和互动意识不强，对社区学校创新发展模式持谨慎和观望态度。第二，权威主义文化传统影响了学校教育民主化的推进。受历史上意识形态的影响，一些学校管理人员对“学校教育民主化”持怀疑和警惕态度，权威主义教育传统和家长式的学校管理模式往往使“社区学校教育民主化”活动的开展流于形式。第三，教育民主化意识淡薄影响了社区学校模式整体性和系统性优势的发挥。教育民主化包括学校管理、教学和校外活动民主化。教育管理民主化要求学校从自我管理转向社会参与管理，从学校管理学生转向学生自治管理；教学民主化要求建立民主平等的师生关系，把教学过程建立在师生合作的基础上，确立“以学生为主体”的教学思想，因材施教；校外活动民主化要求重视学生的需要与兴趣，尊重学生的主体性，通过社会实践促进学生人格的发展。民主化原则是学校管理、教学和社会活动以及学校与社区互动的思想基础。一些开展社区学校模式建设的学校将工作重点放在校外活动的开展上，存在着弱化学校教育民主化建设的情况，造成了学校教育思想上的矛盾与混乱。第四，在学校与社区的互动中，社区行政化色彩仍然比较浓厚，服务理念欠缺，社区居民的参与意识比较薄弱，积极性和主动性不足。

尽管俄罗斯社区学校模式的实施面临不少难题，但它很可能成为俄罗斯普通教育学校改革的主要模式，影响俄罗斯普通教育的未来发展。

第五章 俄罗斯职业教育的协同治理

当前，俄罗斯职业教育治理受到教育理论界与实践界的极大关注。职业教育治理的勃兴有其深刻的社会背景，“双重失灵”危局的困扰为其提供了现实依据，公民社会的兴起为其提供了组织保障。“共治”是职业教育治理的典型特征，其主体主要包括政府、市场、行业协会和职业院校。

自《俄罗斯联邦教育法》颁布与实施以来，俄罗斯构建了自上而下的政府问责机制，即政府评估体系。近年，随着“教育解国家化”思潮的发展及教育机构自主权的扩大，俄罗斯创建了社会问责机制，即自下而上的社会评估体系。时至今日，政府评估与社会评估机构通力合作，协同为国民提供客观、全面的教育质量信息，帮助教育管理者做出更合理、更有针对性的管理决议。

治理是个人和各种机构管理其共同事务的诸多方式的总和，它是使相互冲突或不同的利益得以调和并且采取联合行动的持续过程。[①]在职业教育领域，“治理”也备受教育理论界和实践界的关注。具体来说，职业教育治理是指各种公共或私人机构和组织通过一定的制度安排进行统筹协作、各尽其能，共同管理职业教育事务，从而实现职业教育的公共利益最大化的过程。[②]

职业教育治理的勃兴，有其深刻的社会背景和客观依据。

在“政府失灵”与“市场失灵”的双重困境下，职业教育急需新的调节机制，同时，公民社会的不断发展壮大，促进了公民意识的觉醒。公民更愿意参与到职业教育治理中来，公民社会的发展与完善为职业教育治理提供了重要的组织保障。

---

① 全球治理委员会．我们的全球伙伴关系［R］．牛津：牛津大学出版社，1995：23．

② 李玉静，谷峪．国际职业教育的治理理念与实践策略［J］．职业技术教育，2014（31）：78-83．

第一节　俄罗斯职业教育治理之政府评估

政府评估，即准政府组织对申请参加评估的所有职业院校进行质量判断的活动。国家教育质量标准是政府评估的主要依据，它与俄罗斯对职业院校在办学条件、划分类型与类别等方面的指标要求一样都是预先设定的，是一种事前的约定性标准。职业院校只需使其提供的服务达到这些标准的要求，该服务即被认为是合格的且有质量的，职业院校随之被授予开展教育活动的系列资格。俄罗斯职业教育质量的政府评估是关注“合格”的评估。

一、政府评估的缘起

由于俄罗斯职业院校的类别多样，且其办学经费主要来自政府拨款，所以，政府部门不仅需要引导职业院校根据自身办学资源及状况在教育服务市场中准确定位，而且需要对职业院校的经费使用状况及收益进行问责。政府评估是促进职业院校合理定位和回应政府问责的重要工具。

（一）教育机构合理定位的需要

为了适应社会经济发展对人才的需求，以及与国际职业教育机构接轨，俄罗斯继承苏联时期的教育传统，创建了多样化的职业教育机构：中等技术学校和高等专科学校。伴随着职业教育机构的多样化，其招生对象、教育大纲、教育活动、培养内容及财政拨款亦表现出多样化的特点。职业教育机构多样化发展不仅涉及学校定位问题，如哪些学校是中等技术学校，哪些是高等专科学校等，而且形成了需求者选择的多样化：受教育者去哪里学习、雇主在清晰了解自身人才需求的基础上去哪类学校招人等。《俄罗斯联邦教育法》规定，教育机构的国家地位（按其实施的教育大纲的层次和专业方向而定的该教育机构的类型、类别）在对其进行政府评估后予以确定。[①]

（二）教育机构回应政府问责的需要

俄罗斯联邦政府对职业院校的拨款一般遵循“政府评估——确定教育机

① Верховный Совет Российской Федерации. Российская Федерация закон об образовании［EB/OL］.［2015-11-19］. http: //www. rg. ru/2012/12/30/obrazovanie-dok. html.

构的类型与类别——确定该类型与类别的教育机构用于每名学生的费用——制定政府拨款标准”这一程序，政府评估是确定拨款数额的基础。除此之外，如果职业院校培养质量不达要求，国家可以通过教育管理部门对该院校提出诉讼，要求该院校赔偿其他教育机构培养这些毕业生所需的追加费用。所以，职业院校在获得拨款的同时，需要向上级管理机构提交资源使用情况及结果的信息。不管从外部——国家需要获得教育机构办学质量的全面信息，还是从内部——教育机构应对外在压力及内在发展需求而言，俄罗斯需要这种质量评估机制。

二、政府评估的环节

1992 年颁布的《俄罗斯联邦教育法》规定，教育机构创立的程序及活动章程要经过认可、鉴定和国家认定等三个连续的环节。通过认可，职业院校可以获得开展教育活动的许可证和参加鉴定的资格；通过鉴定，职业院校可以获得进入国家认定程序的鉴定证书；通过国家认定，教育机构可以获得国家认定证书及为毕业生颁发国家统一样式毕业证书的权力。认可、鉴定和国家认定相互依存、依次递进，共同构成政府评估的完整进程。办学许可证、鉴定证书和认定证书的有效期限都是五年，证书满期后，职业院校需要申请再认可、鉴定或国家认定，迎接新一轮的评估。

（一）对基本办学条件的认可

对职业学校办学条件的认可，由俄罗斯联邦教育与科学检察署、俄罗斯联邦主体执行权力机关（简称为认可机构）组织实施。其中，俄罗斯联邦教育科学检察署创建于2004年，隶属于俄罗斯联邦教育与科学部，下设包括“教育质量评估程序及技术部”在内的28个部门，行使对教育质量进行国家监控的职能。在俄罗斯联邦教育与科学检察署成立之前，俄罗斯学校国家鉴定督导司是实施质量管理的主要机构，负责检查已注册的职业院校开展教育活动的条件（例如防疫和卫生标准、校舍、学生和工作人员的保健等）是否符合国家和地方规定的要求。如：基建标准、教学场地设备、保障教学过程顺利开展的物质基础和资金、学生及教育工作人员的卫生健康保健、教师受教育程度和人员编制。

为了确保认可活动的顺利进行，得出客观可靠的结论，俄罗斯采取了若干举措。第一，保障办学单位提交信息的真实性。《教育活动认可条例》规定，办学许可证申请人要确保提交材料的可靠性和填写资料的正确性。如果达不到此要求，该机构的认可活动会被中止两个月。第二，开展社会合作。认可机构与联邦税务局、联邦财务部、联邦医疗—生物所、从事土地测量与绘图工作的联邦行政部门合作①，认可进程中以这些机构得出的相关结论为重要参考依据。第三，相关专业社会机构的代表亦有权参与评审教育机构提交的材料，他们通过参观学校，与教师、学生及其家长座谈等方式开展实地考察，分析并检查办学单位提交的文本材料的真实性并得出专家结论。认可机构在专家结论的基础上做出为职业院校颁发或拒绝颁发许可证的决定，并将职业院校的注册信息、申请材料及最后的认可结果公布到认可机构的官方网站上，以便于利益相关者查阅。

（二）对教学质量的鉴定

俄罗斯联邦教育科学检察署对已获得办学许可证的职业院校的培养内容及水平进行检查、鉴定，看其是否符合国家教育质量标准。鉴定活动的目的是保证职业院校的教学质量达到国家预定的最低标准。鉴定需遵循客观、独立及公开的原则，每五年进行一次。鉴定费用由申请鉴定的职业院校支付。对刚成立的职业院校来讲，其第一次鉴定要在它获得办学许可证至少三年之后，且在第一届学生毕业后进行。

鉴定分职业院校自我评估、鉴定委员会的外部鉴定和得出鉴定结论三个步骤。第一，自我评估。自我评估是职业院校依据一定的检查项目对自身培养内容、水平的检测，其目的是确定职业院校对参加外部鉴定的准备情况，促进职业院校构建内部质量监控体系，形成统一的有关俄罗斯职业院校质量信息的中心数据库，节省鉴定费用。第二，外部鉴定。鉴定委员会基于职业院校提交的自我评估报告等材料对职业院校的教学质量进行鉴定。鉴定委

① Министерство образования и науки Русской Федерации. Об утверждении Положения о лицензировании образовательной деятельности [EB/OL]. [2015-11-28]. http: //www. rg. ru/2011/03/23/license-obr-site-dok. html.

员会的成员不仅包括国家权力机关和（或）地方自治机关的代表，还包括职业院校的管理者、国家—社会组织代表、教学方法协会代表等。第三，得出鉴定结论。基于鉴定委员会成员的鉴定报告，形成鉴定结论。如果职业院校获得了否定的鉴定结论，那么，该学校需要制订改进不符合国家教育标准的教育活动的计划，并将与该计划相关的信息提交给俄罗斯联邦教育科学检察署。如果职业院校对给出的否定结论不满意，可以依照法定程序提出上诉，在获得否定结论的12个月后申请再次鉴定。

（三）对教育质量的综合评估

国家教育管理机构（简称认定机构）对已获得办学许可证和通过鉴定的职业院校的国家地位的认定过程，是职业院校办学质量的综合评估。认定结论是确定职业学校所属的类型与类别的基础。苏联解体后，俄罗斯将过去中央集权的统一管理改为联邦、地区与地方三级管理。所以，在教育质量评估领域，俄罗斯建立了多层次的认定模式：由俄罗斯国家教育认定署负责对隶属于联邦（中央）教育管理机构的职业院校进行国家认定；由俄联邦主体国家教育管理机构对隶属于它的职业院校实施国家认定；由联邦（中央）教育管理机构或联邦（中央）教育管理机构委托的联邦主体教育管理国家机构对非国立职业院校实施国家认定。

为了保障国家认定工作的顺利进行，俄罗斯联邦教育与科学部组建了每年都予以更新和完善的国家认定中心数据库，该数据库为认定机构实施质量检查提供信息保障，国家认定的分析材料就是“基于职业院校提交的文件、国家认定中心数据库中与该机构申请地位相一致的类别指标等信息的总和”[①]。在对认定材料进行审查的基础上，认定机构得出是否向职业院校颁发国家认定证书的决议。国家认定证书是一个文件，该文件可以证明教育机构所属类型与类别，证明该机构的教育内容和培养水平符合联邦国家教育质量标准的要求，证明职业院校有权力给毕业生颁发国家统一样式的相应水平

① Йошкар Ола. Информационно–методическое сопровождение государственной аккредитации учреждений среднего профессионального образования［EB/OL］.［2015–12–27］. http: //www. rostr. net/index. php/normative–docs/quality–system/99–info–metod.

的毕业证书。

三、政府评估的意义

（一）保障教育质量

首先，俄罗斯通过政府评估，“筛选”出达不到最低质量要求的职业院校，并要求这些院校制订相关计划以改进不符合质量要求的教育活动。这有利于保障职业院校达到最低质量要求。其次，俄罗斯通过政府评估，给予顺利通过政府评估的教育机构一定的奖励：国家财政拨款、办学许可证以及为毕业生颁发国家统一样式的毕业证书的权力。这些奖励有利于提高职业院校及其教职员工的责任感。最后，政府评估是一种分类评估，它旨在依据一定的类别与类型指标对申请评估的机构进行分类，这有利于教育机构的合理定位，防止教育无序发展带来的质量危机。

（二）促进职业院校构建内部质量监控体系

如上文所述，自我评估是职业院校参与质量鉴定的必要条件，其创建目标之一便是促进职业院校构建内部质量监控体系。政府评估的有效实施有利于推动学校自觉构建内部监控体系以担负保障教育质量的职责，提升学校保障教育质量的能力。以伏尔加格勒医学高等专科学校为例。该校引进了全面质量管理及国际ISO9000族标准，创建了包括内部审计、教学督导、学生考核及自我评估等在内的内部质量监控体系，对“输入”层面的教师及财政投入“过程”层面的教育大纲的设计，“输出”层面的毕业生考核及雇主意见等进行全面、定期的常规检查，强化了学校及员工的质量责任担当，生成并促进了学校质量文化的发展。

第二节　俄罗斯职业教育治理之社会评估

社会评估是指政府与学校之外的专业评估机构依据一定的目的，有选择地对学校的教育质量进行判断，并提出改进意见的活动。“今天，在建立社会参与教育管理机制的背景下，为国立与私立教育机构创建教育质量的社会评估方法成为教育体系改革中最有争议的问题。社会排名是社会参与教育管理的重要机制之一。”[①]与关注“合格”的政府评估不同，社会评估的重要方法是依据质量评估结果对职业院校进行排名。

一、社会评估的缘起

俄罗斯社会评估政策的制定与实施既是“教育解国家化”思潮的产物，是教育政策的国家—社会共管原则在质量管理领域的反映，亦是职业院校主动发起的、以提高教育质量和竞争力为目标的运动的产物。

（一）教育的解国家化

“教育解国家化”即打破国家对教育的垄断性利用和管理，改变国家作为教育改革行动的唯一缔造者和主体的状态，使教育不再仅是一种国家活动，而是使其成为利益相关者共同涉足的国家—社会共管领域。苏联解体后，俄罗斯在1992年颁布的《俄罗斯联邦教育法》中将国家—社会共管教育的原则以法律的形式确定下来，提高了国家—社会共管教育的地位，“任何一项教育政策都是一种教育领域的政治措施，任何政治措施本身都代表或蕴含着政府对于教育事务和教育问题的一种价值选择——做什么或不做什么、鼓励什么或禁止什么的一种价值选择”[②]。俄罗斯联邦政府鼓励并支持教育质量社会评估这一做法与苏联解体后“教育解国家化”的教育思潮相呼应，并受教育国家—社会共管的价值取向的影响。

（二）教育服务市场的竞争

社会评估这一政策之所以得到支持和实施，除了受国家—社会共管的价值取向指导外，还受制于职业院校对自身利益的需求。2000年以来，职业院校不断扩大的自主权将学校推向了改革的前沿，面对激烈的市场竞争及生存发展的压力，职业院校之间展开了以提高教育质量为核心的竞争。“政府评估的目标之一是确定教育机构的类型与类别。它在帮助教育机构提升自己的

---

① В. П. Максимов，Н. С. Вашакидзе，А. Ф. Гулевская. Современные средства региональной системы оценивания качества образования：учебное пособие [М]. Южно-Сахалинск：издво СахГУ，2011：25.

② 刘复兴．教育政策的边界与价值向度［J］. 清华大学教育研究，2002（1）：72.

竞争力方面发挥的作用是有限的。”[①]在这样的背景下，一些职业院校主动寻求专业社会评估机构的帮助，以求突出自己的办学特色和“获得专业支持以制定促进本校发展的具体举措”[②]，通过赶超型的发展模式和优质的教育服务来赢取更多的市场份额，进而维护和稳固本校在教育服务市场上的良好形象。

二、社会评估政策的制定与实施

（一）社会评估政策的形成

在苏联解体后的最初十几年内，教育质量保障的权力主要集中在国家手中，社会力量制定质量标准及参与质量检查的行为是有限的，社会力量参与质量保障的机会是微弱的。独立于政府评估之外的社会评估是21世纪之后才被鼓励和推行的。

另外，俄罗斯拥有悠久的中央集权制管理文化，久远的文化给国民造成一种文化惯性，即在一定程度上依赖国家远远大于社会。在公民社会尚未成熟的背景下，在构架职业教育质量社会评估体系时，俄罗斯主要依靠国家权力（例如立法、制定条例与建议等）来制定社会评估政策，保证社会评估行为的合法性，推动社会评估体系的形成与发展。例如，2009年俄罗斯联邦教育与科学部部长与俄罗斯工业企业家联盟主席联名签署了《构建职业教育质量社会评估体系的条例》，该条例规定了俄罗斯构建职业教育质量社会评估体系的原则、目的和方式。[③]除此之外，2013年《俄罗斯联邦教育法》《关于创建提供社会服务的组织工作质量的社会评估体系》《对教育机构工作质量施以社会评估的方法建议》等法规条例将社会力量参与职业教育质量评估的权力合法化、评估方式规范化。

---

① А. В. Белокопытов. Зачем нужна независимая внешняя оценка качества образования [EB/OL]. [2016-01-04]. http: //pedsovet. org/content/view/16331/530/.

② 同上。

③ Минобрнаука РФ. Положение о формировании системы независимой оценки качества профессионального образования [EB/OL]. [2016-02-19]. http: //www. zaki. ru/pagesnew. php?id=60975.

（二）社会评估的模式

目前，在俄罗斯职业教育领域，初步成型的社会评估模式主要有两种：教育大纲质量的社会评估、教育机构工作质量的社会评估。

第一，教育大纲质量的社会评估。

《博洛尼亚宣言》建议，教育质量评估应该由经过国家教育管理机关承认的具有独立性的机构实施。2003年，俄罗斯签署了《博洛尼亚宣言》，并于2005年创建了教育质量社会检查及事业发展署（Агентство по общественному Контролю Качества Образования и Развитию Карьеры，简称AKKOPK），它是俄罗斯第一所对高等教育质量进行专业社会评估的机构。目前，教育质量社会检查及事业发展署已成为欧洲高等教育质量保证协会的下属成员，成为国家高等教育质量保证机构网络、亚太地区教育质量保障组织、欧洲数字化学习质量研究基金会、欧亚教育质量保证网络、中欧和东欧高等教育质量保证机构网络的正式会员。教育质量社会检查及事业发展署提供的服务包括：对教育大纲质量进行专业的社会评估，教育质量管理体系的审计与认证，管理咨询等。

在“教育大纲质量的社会评估”中，教育质量社会检查及事业发展署既是评估的实施者，也是评估指标的制定者（表5-1）。社会评估的实施阶段有三个。第一阶段，依据评估指标，教育机构会开展自我评估或填写相关的问卷，并提交相关的报告和重要文件。这些文件是专家快速、全面了解学校教育质量信息的重要来源。第二阶段是专家进入职业院校进行现场考察，分析学校提交的信息，并通过与教师、学生及其家长的访谈等获得更深入的质量信息。第三阶段是召开“圆桌会议”，得出检查结论，在检查结论中会标明该教育机构的发展优势及劣势，并提出相应的改进建议和举措。

表 5-1　教育质量社会检查及事业发展署的社会评估指标[①]

指　标	检测内容
教育目标	教育目标的清晰度；教育目标是否与教育消费者的需求相一致，是否具备可以检测不断变化的需求的机制；教育机构是否定期重新评估和调整教育目标
教育大纲的结构与内容	大纲的内容与结构是否与声明的教育目标一致；达成预定教育结果的可能性
教学方法材料	教学方法材料在多大程度上可以帮助学生取得预定的教育目标；为了促进教育大纲的顺利实施，是否有丰富的教学方法材料
专职教师构成	教师的能力与资格水平；教育机构是否具备招聘或评价教师素质的程序和标准；教育机构编制内教师的能力与资格是否可以保障教学的顺利实施
科学研究活动	科学研究活动是否有利于改进教学结果；科学研究活动在教学过程中的实施效果；科学研究作品的哪部分已经进入设计开发阶段
教学和物质—技术资源	教育机构具备的教学和物质—技术资源是否可以支撑教育大纲的实施；在教学、自学和科研工作中，学生是对教育和物质—技术资源的准入；教学和物质—技术资源的改进
教育大纲实施过程的组织与管理	是否创建了教育质量管理体系，包括对教学质量、学生取得的成就、教师素质的评估；在教学中，是否考虑到学生和毕业生、教师和雇主的意见
雇主对教育大纲的参与	教育机构是否创建了吸引雇主参与实施教育大纲的机制；雇主是否有机会参与检查和制定教学科目、讲座、研讨会，是否指导学生准备毕业论文；雇主是否参与教育质量评估；雇主是否对教育大纲的实施给予物质—技术和财政支持
学生参与制定教育内容和组织教育过程的机制	学生是否在院系参与管理，是否统计学生对教学资源质量的意见，是否考虑到学生对教学内容的建议，是否在院系建立了学生反馈机制
服务学生	在学习期间对学生的支持；帮助学生发展自己的能力并成功；在多大程度上，教育机构依靠选拔有素质的中学生来保障教育质量

① 刘金花 . 俄罗斯职业教育质量的政府评估与社会评估：源起、模式及关系 [J]. 外国教育研究，2017（8）：51-62.

在实施社会评估时，教育质量社会检查及事业发展署需要遵循几个主要原则：

（1）诚实及独立性，即该机构开展社会评估的过程是独立的，不受政府的控制，是公正的。

（2）有效性，即该机构得出的检查结论可以保障学校有效调整未来的教育活动。

（3）责任感，即该机构的活动是透明的，该机构需要将有关评估的文件和方法等信息公布到网站上。

（4）对职业院校的多样性和自主性进行认证，即该机构在对职业院校的质量进行检查时，要特别关注职业院校的多样性及其开展教育活动的自主权。

（5）鼓励社会合作，即该机构促进吸引更多的利益相关者参与质量评估过程，这些利益相关者包括学生、雇主、国家机构和社会组织的代表。

第二，教育机构工作质量的社会评估。

2013年10月14日，俄罗斯联邦教育与科学部副部长巴瓦卡（А.Б.Повалко）批准了《对教育机构工作质量施以社会评估的方法建议》（以下简称《建议》）。《建议》明确了对教育机构工作质量施以社会评估的主要目的：一是满足学生及其家长择校的需要，二是满足学校提高教育质量和竞争力的需要。除此之外，《建议》规定了社会评估的主体、参与机构以及评估的方法。

独立于政府组织之外的专业评估机构是社会评估的主体，社区理事会、实施教育管理职能的俄罗斯联邦权力执行机关和地方自我管理机关是社会评估的主要参与机构。在评估中，这些机构各司其职，分工协作，且政府部门对社会评估的介入是有限的。因为政府机构虽然有权参与质量评估，但是它们并未踏入社会评估实施的核心区域，只在外围负责一些服务性工作。这可以从社会评估主体及参与机构的主要职责分配中看出。专业评估机构主要职责在于：制定对教育机构进行排名的方法和程序；按照教育机构的要求，检测教育质量；分析社会评估结果，依据评估结果为教育机构制定促进其未来发展的建议等。社区理事会的职责在于：在专家的参与下，组织讨论质量评估标准；在地区一级编制申请参加教育质量社会评估的教育机构的清单等。实施教育管理职能的俄罗斯联邦权力执行机关和地方自治机关的职责在于：管理社区理事会的活动；将参与社会评估的教育机构的名单公布在地区一级教育管理机构的网站上；保障在相关电子网站上公开教育质量社会评估的结果等。

“对所有类别的教育机构及其教育大纲进行排名是教育机构工作质量社会评估的主要方式，包括使用国际上具有可比性的教育研究方法和结果进行排名。”[①]排名是对教育机构工作质量实施社会评估的主要方法，也即专业社会评估机构依据教育机构工作质量指标及每一指标的分值及权重，逐项检查教育机构的工作质量并为其打分，在打分的基础上对参加评估的教育机构进行排名。由于地区的教育发展特点及利益相关者对质量评估的需求不同，教育机构工作质量的社会评估标准及指标具有区域差异性。以科米共和国为例，其职业教育机构工作质量的社会评估标准有：有关机构信息的开放性和准入性；学习条件的舒适性及获得服务的准入性，包括针对残疾人的服务；教育机构工作人员的善良、礼貌和能力；对服务质量的满意度；教育机构活动结果。

为了保障评估结果的可靠性及提高评估的公信力，专业社会评估机构在实施评估时，需要做到信息公开。首先，专业社会评估机构必须公开对教育机构进行社会评估的方法、工具、评估指标，以及每个特定指标的分值和权重等信息。其次，在对同一类型教育机构进行排名时，专业社会评估机构需要以某类利益相关者的需求为导向，确定评估指标的优先项及权重。最后，被公开的评估信息应该包括相应的反馈机制：专业社会评估机构需要针对评估结果，对被评估对象做出相关解释；教育机构需要对专业社会评估机构解释自身公开报告的信息参数，亦需要对利益相关者就取得的分值进行解释。

---

① Методические рекомендации по проведению независимой системы оценки качества работы образовательных организаций [EB/OL]. [2016-04-07]. http: //sinncom. ru/content/avmk/doc/index_ metrek. htm.

三、社会评估的意义

（一）凸显职业院校的办学特色

社会评估将评估对象聚焦于职业院校的某一专业职业教育大纲或教育机构的工作质量，评估关注的焦点更明确。这有利于凸显某所教育机构的办学特色及专业特色，有利于利益相关者择校或专业。另外，在对同一类型教育机构工作质量实施社会评估时，专业社会评估机构依据某类利益相关者的需求，确定评估指标的优先项及权重，这样，评估指标与评估质量信息的服务对象具有很高的相关性。不同利益相关者的需求也成为教育机构工作质量社会评估的关注焦点，这有利于提高利益相关者获取信息的质量水平。

（二）促进质量保障的社会治理

《2010年前俄罗斯教育现代化构想》规定，应该通过加强国家权力机关、教育管理机关与社会各界力量的合作来保障教育质量，指出只有在教育体系与国民经济、文化、科学、利益相关部门和社会组织代表、家长及其雇主的经常协作中，才可以实现教育现代化的战略目标。社会评估是独立于政府评估之外的一种评估模式。作为社会评估主体的教育质量社会检查及事业发展署、独立于政府组织之外的专业评估机构等都是代表公众利益、不以营利为目的的自治性的合法组织。在社会评估中，专业社会评估机构以“主导方”的身份，而不是“参与者”的身份，进入教育质量评估这一公共话语体系。俄罗斯职业教育质量社会评估政策的实施是俄罗斯实施社会治理的重要反映。

第三节　政府评估与社会评估的关系

政府评估与社会评估是俄罗斯职业教育质量外部评估的主要形式。在保障和提高学校教育质量的活动中，政府评估是社会评估的基础，社会评估是政府评估的重要补充。

一、政府评估是社会评估的基础

由于俄罗斯有长期的中央集权制的传统，所以，虽然进行了政治民主化改革，但是它目前仍处于一种强政府、弱社会的态势。俄罗斯职业教育质量外部评估体系虽然已经不再由政府单一主导，但是政府评估仍然占据权威地位，是社会评估的基础。

（一）政府评估中使用社会评估结果的有限性

目前，俄罗斯既创建了职业教育质量的政府评估机制，也创建了社会评估机制，且社会评估的结论是准政府机构得出政府评估结论的重要参照。但是，依据2013年《俄罗斯联邦教育法》的规定，政府评估之外的评估结果不能“中止或取缔代表学校有资格开展教育活动的许可证，中止或剥夺学校的国家认定证书”①，即社会评估结论不能改变重要的教育行政决策。在俄罗斯职业教育质量的外部评估体系中，国家占据了质量管理的制高点。

（二）政府评估对职业院校的决定性影响

由于政府垄断了关乎职业院校生存发展的最核心资源，如国家预算拨款、办学许可证、给毕业生颁发国家统一样式的毕业证书的权力，进而控制了职业院校生存发展的“命门”，所以，政府评估对职业院校的影响是最直接的、决定性的。职业院校可以不参加社会评估，但是不得不参加政府评估。顺利通过政府评估是职业院校在教育服务市场立足的根本。

（三）社会评估为职业院校通过政府评估做准备

教育质量社会检查及事业发展署与区域性的专业社会评估机构虽然具有第三方的性质，但是在社会评估的实施中，仍然不能忽视政府评估对职业院校的影响。专业社会评估机构依据国家教育质量标准来评价教育质量，当评估结果不符合国家要求时，专业社会评估机构可以为学校指出不足及劣势，并提供改进和完善教育质量的专业建议。

（四）社会评估是政府评估的有益补充

政府评估在保障每个学生获得优质教育的权利、促进教育公平、保证联

① Федеральный закон от 29 декабря 2012 г. № 273-ФЗ. Об образовании в Российской Федерации [EB/OL]. [2016-04-09]. http: //xn-80abucjiibhv9a. xn-p1ai/док-ументы/2974.

邦统一教育空间等方面发挥着重要作用。但政府并不是万能的，在评估实施中也存在不少问题：不能为职业院校提供专业建议，不能为利益相关者提供便于择校或专业选择的质量信息。社会评估是俄罗斯21世纪以来发展起来的质量评估形式，它的实施有利于弥补政府评估的缺陷。社会评估是政府评估的有益补充，它的补充作用主要体现在三个方面。

1. 为政府评估提供帮助

“对于质量评估机构来说，能够使得评估过程及结果合法化是它们遭遇的最大挑战之一。它们需要学术界的支持，来组成一个同行评议所需的身体力行的评估团，并在院校间为已得出的决议达成共识。”[①]教育质量社会检查及事业发展署与区域性的专业社会评估机构是独立于政府与学校的第三方机构，其成员不仅包括雇主、学生代表，还包括专门从事质量评估研究的专家。专业社会评估机构在实施评估时，可以更好地保持价值中立，较多地体现价值多元取向。自2011年起，在政府评估中，国家质量认可、鉴定和认定机构可以参考专业社会评估机构的评估结果，得出质量检查结论。

2. 为教育机构提供帮助

专业社会评估机构为教育机构提供专业建设方面的帮助。科学有效的质量评估应该具有问题诊断、监督、导向和促进其发展的功能。政府评估通过认可、鉴定和国家认定等环节主要发挥问题诊断及监督功能，找出不符合质量要求的教育行为，并为教育机构提供质量改进的建议。与此不同，专业社会评估机构在实施评估时，一方面，吸引来自学术界的专家参与评估，他们熟知教育构成并了解某一专业的现实需求；另一方面，努力吸引学生参与评估，希望用学生的视角来评价教育质量。专业社会评估机构会依据质量评估结果，为职业院校提供改进教育质量的专业建议，并在经过一段时间之后，对其进行再次评估，分析质量改进建议的执行及完成情况。

社会评估为职业院校提供获取预算外资金的机会。由于政府评估是一种“合格评估”，这在一定程度上抑制了职业院校的创新机制的发展，不利于

---

① 约翰·布伦南. 高等教育质量管理——一个关于高等院校评估和改革的国际性的观点［M］. 陆爱华,译. 上海：华东师范大学出版社，2005：19.

在职业院校之间创建良好的竞争环境。苏联解体后，俄罗斯职业教育经费模式正由官僚模式向市场模式过渡。“所谓官僚模式，是指资源根据政府明确规定的分配标准分配给各院校……而市场模式是指院校的生存直接依靠出卖学术服务的做法。”[①]目前，职业院校既可以获得俄罗斯联邦政府按照一定的标准划拨的教育经费，亦可以通过有偿教育服务等方式获取预算外资金。顺利通过政府评估是职业院校获得国家预算拨款的重要途径。社会评估通过将某所职业院校与其他院校相比较，凸显其办学特色、专业特色以及优质教育大纲，这是帮助职业院校在市场份额中获得更多的“蛋糕”、预算外资金的重要手段。

3. 为其他利益相关者提供帮助

政府评估是一种合格评估，它通过预定的质量要求将所有申请参加评估的职业院校划分为质量合格的和不合格的两大类，不对职业院校进行排名。与此不同，关注排名的社会评估允许所有的利益相关者——不论是将要毕业的学生，还是招收毕业生进公司工作的雇主了解到谁更好，谁在教育服务市场上更差一些。[②]此外，与对职业院校的综合实力进行考察的政府评估不同，社会评估将评估对象聚焦于教育机构的某专业职业教育大纲或教育机构的工作质量。这有利于凸显职业院校的特色，有利于利益相关者择校或选择专业。

---

① 刘淑华．俄罗斯高等教育分权改革研究［M］．北京：光明日报出版社，2010：31.

② А. В. Белокопытов. Зачем нужна независимая внешняя оценка качества образования［EB/OL］.［2016-04-21］. http: //pedsovet. org/content/view/16331/530/.

第六章　俄罗斯高等教育的联合治理

俄罗斯高等教育在国家法律政策的支撑与引导下，创新教育管理模式，通过一长制与会议制相结合、创建国家—社会联合组织、突出大学校长联盟作用等途径构建高等教育治理新模式，形成了自治性、民主化、学术性、现代化的特点。

第一节　高等教育内部治理的特征

当前俄罗斯高等教育内部治理特征表现为：一长制与会议制相结合，校长直接管理学校，学校全体大会和学校学术委员会实施总领导；决策主体分散化，教师、学生、社会力量、外部主体开始参与学校管理；权力重心下移，系和教研室成为拥有一定自主权的组织。

一、一长制与会议制相结合

（一）学校全体大会

学校全体大会体现了民主参与的管理模式，发挥着集思广益和权力监督的作用。成员涵盖了学校内部各层次各方面人员代表，能够体现校内各方意志，具有广泛的代表性。代表成员名单由学校学术委员会和系、教研室学术委员会联合确定，其中学校学术委员会的成员不应少于全体会议代表总数的50%。学校全体大会常规性会议由学校学术委员会召集。一般来说，至少两年召开一次。同时，在情况需要时，经学校学术委员会三分之二以上人员同意，可以临时召集学校全体大会。①学校全体大会的主要职权范围包括：审议并通过作为学校主要管理依据的高等学校章程，审议并通过对高等学校章程进行的修改和补充；形成学校的日常管理机构——学校学术委员会，或者决定提前终止其运行；选举学校校长，或因故提前解除校长职务；批准通过学校集体协议；批准重新组织或取缔本学校；确定本学校的优先发展方向；确定学校财产的使用原则，以及有关学校运行的其他重要问题。

（二）学校学术委员会

学校学术委员会是高等学校的最高管理机关。1996年的《俄罗斯联邦高等和大学后职业教育法》就明确规定，由学校学术委员会对高等学校实施总领导。学术委员会的人员组成、权力、选举程序和活动范围在学校章程中明确规定。学校学术委员会是学校全体大会选举产生的代表机关，它由各种类型的工作人员、学生和社会组织成员组成。其中，校长和副校长是学校学术委员会的常设成员，校长是学校学术委员会的主席，其他成员在学校全体大会上以无记名投票的方式选举产生。学术委员会每届任期5年。学校学术委员会对于事关学校长远发展的学术、人事和财务事务都享有最终决定权。具体来说，学校学术委员会的主要职责有：解决高等学校活动和发展的具体问题；批准高等学校章程的更改与补充；确认或修改高等学校的组织架构、管理架构，以及校长的职责权限；批准校长推荐的第一副校长候选人；审核校长、副校长和分支机构负责人的总结性报告和前瞻性报告；确定学校财政资源、物质资源、人力资源和其他重要资源的使用方向；组织投票选举教授、系主任；必要时决定暂时终止校长和其他负责人指令的运行；等等。②

（三）校长

校长对高等学校实施直接管理。校长的考核程序由联邦教育管理机关确定。苏联解体以后，校长产生程序经历了由任命制走向选举制的变化。国立或市立高等学校的校长在学校全体大会上以不记名投票的方式选举产生。但

---

① 刘淑华，刘欣妍．走向治理：俄罗斯高等教育内部管理体制变革取向［J］. 比较教育研究，2015（2）：19–23.

② Васильев Ю. С, Глухов В. В, Федоров М. П. Экономика и организация управления вузом［M］. Москва：СПб：Издательство “Лань”，2004：205–206.

是，选举结果需经高等学校直属的教育管理机关批准。总的来说，教育管理机关尊重学校全体大会的选举意见。2006年《俄罗斯联邦高等和大学后职业教育法》对之前确定的校长选举程序又做出更改，规定校长职位候选人必须交由一半成员是国家权力机构代表的鉴定委员会进行审核。当选的校长与学校隶属的教育管理机构签订劳动合同，任期不超过5年。如果任期内国立或市立高等学校由于考核结果不佳而被取消国家认证资格证书，则其校长职务将被解除。校长是学校学术委员会的主要执行长官，接受学校学术委员会的指令，并对大学整体事务进行经营，同时对学校在各方面的经营负有直接责任。校长在其职权范围内发布指示和命令，该校所有工作人员和学生必须执行。校长负责制有利于权力集中、明确责任，并减少不必要的摩擦与损耗。

（四）督学委员会

2011年11月，俄罗斯国家杜马通过了对1996年《俄罗斯联邦高等和大学后职业教育法》的第12条修改意见，提出在所有通过国家认证的高等学校中设立督学委员会。督学委员会的人员组成、形成程序、权力执行年限、职责和活动程序在学校章程中加以规定。这是俄罗斯高等教育内部管理体制改革的重要尝试。

督学委员会由学校教工、学生、学校举办者、企业主、联邦主体执行机构、地方自治管理机构等代表组成。建立督学委员会的主要目的在于：促进高校当前和远景任务的完成；促进学校发展财政资金和物质资源的筹备，并监督这些资金和资源的使用；促进学校物质技术设施的完善；参与制定符合相关企业主对毕业生需求的教育大纲。督学委员会的设置主要是为了在学校和社会之间搭建桥梁，加强社会力量对高等学校内部管理的参与和监督，提高高等学校财政管理的自主性，既保证学校办学资金的持久流入和社会需求的有效反馈，同时又可以防止外部力量对学校自治权利的过分干预。

二、决策主体分散化

苏联解体以后，俄罗斯强调在学校内部发扬民主，通过制度设计尊重和保障大学各利益相关者参与决策的权利，力图使每个群体都有表达意愿的畅通渠道。因此，参与学校内部管理的主体范围扩大了，决策主体呈现分散化状态。

首先，教师作为真正的决策主体，参与了学校的决策。为了提高教师的职业威望，高校教师的职业地位写进了新的《俄罗斯联邦教育法》："俄罗斯承认高校教师在社会发展中的独特地位，并且创造条件保证其实施职业活动。"俄罗斯高校教师开始享有法律所赋予的扎根于学科与专业的权利——学术自由。教师可以根据高等和大学后职业教育国家教育标准，确定所教授课程的内容；根据自己的理解讲授教学科目，选择既能最充分符合个人特点，又能保证教学质量的教学形式、教学方法和教学手段；参与制订教学大纲、教学计划；自由选择科研主题，并按自己的方式从事科研活动；同时享有各种资源、技术、服务和社会保障。而且，教师作为学术权力的典型代表，也开始参与到学校的管理过程中，对学校的重大问题拥有了一定决策权。他们是校最高管理机关——学校学术委员会的重要代表，有权按照规定程序参加学校学术委员会的选举和被选举活动；有权对学校章程草案提出建议；参与讨论和决定有关高等学校运行问题，包括通过学校管理机构和社会组织参与讨论和决定这些问题；参与解决学校利益相关者间教育关系争端的解决；有权参与社会职业组织；有权保障职业尊严和职业声誉，在教师职业声誉遭受破坏时，有权维护客观公正的评判；等等。

其次，学生权利开始得到关注，并从无到有发展起来。国家为学生参与学校内部管理提供了坚实的法律依据。作为教育领域的重要法律文本《俄罗斯联邦教育法》、《俄罗斯联邦高等和大学后职业教育法》和《俄罗斯联邦高等职业院校标准条例》都涉及了学生对学校事务的知情权、参与权和监督权等问题。学生不仅享有学术权利，可以自由选择选修课程，学习适合于自己的教育内容，根据自己的兴趣和需要获取知识，而且开始享有某些管理权益。学生是学校全体代表大会的重要组成部分，参与选举学校学术委员会成员；参与讨论和决定高等学校运行的重要问题，包括借助社会组织和高等学校管理机构参与讨论和决定这些问题。学生有权熟悉学校章程、许可证、国家鉴定材料，以及学校的其他证明材料；有权参加按照国家法律创建的社会组织和职业协会，创建学生社会组织；按照联邦法律规定的程序对高等学校的行政命令及其指令提出上诉；等等。在这些法律的影响下，很多高等学校在章程中都对学生权利做出了专门规定。学生不仅对涉及自身利益的活动享有一定知情权和发言权，而且开始作为学校内部管理主体依法参与学校的重要决策。

再次，吸引社会力量和学校外部影响主体参与学校内部管理。提高教育管理的社会性，成为俄罗斯2020年前教育管理变革的一项主要任务。[①]历史上由于政府力量过大，社会力量在大学内部治理中的作用非常薄弱，学校外部主体参与程度很低。新的时期，积极培养社会力量，将外部影响主体纳入到大学的管理机构中，成为大学管理转变的一个新亮点。《俄罗斯联邦高等和大学后职业教育法》明确规定，在高等和大学后职业教育体系中，可以建立不充当法人的多种国家—社会团体。高等学校的科研人员、教学人员和其他工作人员，以及高等教育系统内企事业组织的工作人员可以在自愿的基础上进入国家—社会团体。这些团体可以根据联邦法律吸引外国公民、无国籍人士进入。这些团体由国家教育管理机构创建，并且根据国家教育管理机构批准的条例从事自己的活动。国家高等教育管理机关、高等学校学术委员会在研究和分析问题时也会考虑这些社会组织和国家—社会团体的建议。

同时，未成年学生家长的权益得到尊重，开始由“局外人”向“局内人”转变。一方面，家长作为学生法定监护人，保护学生权益不受损害。当学校未通过国家认证和鉴定面临被取缔、学生面临转学或者被学校开除时，都必须充分尊重家长意见。另一方面，家长作为一种新的管理主体，可以按照规定程序参与学校管理。既可以参加学校教育关系参与者争端协调委员会，协调解决学校各方面的教育利益冲突，还可以成立家长委员会，对学校教育内容的选择、学校章程的制定提出意见和建议。

三、权力重心下移

苏联时期的高校内部管理结构在纵向上分为校、系、教研室三个管理层

① Министерство образования и науки Российской Федерации. Государственная программа Российской Федерации “Развитие образования” на 2013—2020 годы [R]. Москва: Минобрнауки России, 2012: 24.

次。学校内部管理的重心集中于学校层面，系和教研室仅仅是一个执行机构，缺乏基本办学行政决策权和资源配置权。在横向上呈现二元权力结构，即教授所代表的学术权力和以校长为首的行政团体所代表的行政权力，但总体表现为金字塔形的科层式管理模式，行政化取向严重。

新时期，权力重心下移成为俄罗斯高等教育内部管理体制变革的主要取向。随着大学自主权的回归，大学“底部厚重”这一学术组织的特性得以恢复，系和教研室层级的自主权得到了扩大。高等教育的自治权力系统不仅表现在校级管理与决策方式上，而且开始延展到校级以下的管理结构中。

系是高等学校实施教学和科研的分支机构。在校—系之间的权责划分上，学校一级负责制定目标、评价考核、研究学校发展政策、对外联络等职能，而系则负责学科建设、教学和科研，拥有人事任免调配、专业设置调整、内部机构设立、教育资源配置等自主权。与校级管理系统类似，系由系主任和系学术委员会共同管理，系主任主持系日常工作，系学术委员会对系实施总领导。系学术委员会的建立和活动程序、人员构成及权责由学校学术委员会确定。系主任担任系学术委员会主席。系学术委员会有权决定以下问题：设立系分支机构，开设和取消本系专业，选举系主任，向学校学术委员会推荐教授和教研室主任的候选人，在系分支机构间分配工作用房，确认各专业教学计划、研究生考试大纲和国家考试委员会的推荐意见，批准论文研究方向；等等。系主任由学校学术委员会或系学术委员会按照高等学校章程确定的程序以无记名投票的方式选举产生。系主任当选后与校长签订任职期限的劳动合同。系主任直接管理系的工作，组织系的教育、学术、行政管理和预算使用活动，具体表现在：解决系的总问题，进行人事管理，组织大学生的教学活动，协调和促进系的教学工作和教学法工作，协调和促进系的学术活动，协调和促进系的国际活动，组织针对考生的教学活动，组织招生考试和一年级的录取问题。①

教研室作为俄罗斯大学最基层的教学科研组织机构，直接承担计划、组

① Васильев Ю. С，Глухов В. В，Федоров М. П. Экономика и организация управления вузом［M］. Москва：СПб：Издательство“Лань”，2004：272–274.

织、实施教学与科研任务，承担相应学科的主干课程和多门相关课程的教学及相应学科的科研和学科建设任务。教研室经系主任建议、学校学术委员会决定和校长做出指示产生。教研室由教研室学术委员会实施总领导，日常行政工作管理由教研室主任主持。教研室学术委员会的建立和活动程序、人员构成及其权责由学校学术委员会确定。教研室主任由学校学术委员会或系学术委员会按照高等学校章程确定的程序以无记名投票的方式选举产生。教研室主任当选后也与校长签订一定任职期限的劳动合同。俄罗斯大学教研室管理实行以教研室主任为首的学术行政体系与教授团体为主的学术委员会共同分工合作管理学术事务的管理体制。可见，同行政方面的权力相比，教研室拥有更多的是学术自主权。

从以上可以看出，在校长和校学术委员会共同执掌学校权力的结构大框架下，校长、主席、副校长、系主任、教研室主任等执掌着学校—系—教研室主要的行政管理权，而校学术委员会、系学术委员会和教研室学术委员会组成纵向领导系统。系学术委员会和教研室学术委员会分别是系一级和教研室一级的自主管理机构，各系和各教研室可以在不违背联邦法律、学校章程和相关条例的前提下，在自己的职权范围内自主进行教学、科研、人事等方面的决策。由于下放的权力以学术权力为主、行政权力为辅，俄罗斯高等学校行政权力和学术权力的配比发生了变化，学术权力在高等学校管理中的地位明显得到提升，在大学的决策过程中正日益发挥重要作用。

第二节　国家—社会联合组织

俄罗斯的高等教育治理有一个明显的特征，就是国家和社会部门共同组成国家—社会联合组织（Государственно-общественные объединения в области высшего профессионального образования，缩写为ГОО）。这是由国家倡议建立并授权、具有半官方性质、区别于民间性质的社会组织，包括各种联合会、协会及联邦和地区层次上的各种委员会、联合会。它参与高等教育的治理，既扩大了社会参与高等教育治理的权力，同时也符合现代学校制度建设的需要，体现了现代社会教育民主化发展的内在要求。

一、国家—社会联合组织的产生和发展

俄罗斯国家—社会联合组织形成于20世纪80年代，90年代后半段被广泛认同并得到较大的发展。

1972年苏联高等教育部通过《关于进一步改进全国高等教育的措施的决议》。此后逐步设立了综合大学委员会、高等学校校长委员会和高等学校委员会。高等学校校长委员会是一个区域性的高校横向联合的领导机构，拥有较大的自主权，是高等教育部内关于高校发展问题的咨询机构。①这些组织是当时苏联教育部的审议咨询机构，同时也是后来成立的俄罗斯大学校长联合会、俄罗斯大学协会等国家—社会联合组织管理机构的基础。

1987年，苏联高等和中等职业教育部在专业协调委员会及专业基础教研室的基础上按专业类别成立大学教学方法联合会，其成员包括大学知名学者、一般教师、企业代表、学术研究所代表、各部委代表等。各个教育方法联合会对于组织、领导、监控、评估本专业方向的教学、教育活动享有绝对权力。②

大学教学方法联合会是俄罗斯规模最大的国家—社会联合组织，下属教学方法委员会和教学方法理事会等近700个分支组织，覆盖了高等教育的所有专业和方向。1988年，苏联成立了国民教育委员会，并在各区和苏维埃人民代表大会下建立分支机构，这也被看作是一个“国家—社会机构”。

1992年，俄罗斯大学校长联合会成立，该组织是在政府的支持下成立并开展工作的，在俄罗斯重大教育政策的制定和实施中起着举足轻重的作用。同年，俄罗斯成立了各课程系列科学—方法委员会。这两个都是学术组织，是学术权力参与教育管理的渠道，它们共同配合教育部的工作，将遍布全国

---

① 卢永库，李家宝，葛鸿翰．苏联高等教育与社会政治、科技进步和国民经济发展相结合的特点［J］. 黑龙江高教研究，1989（4）：125-129.

② 张男星．俄罗斯高校改革的市场取向分析［J］. 高等教育研究，2001（5）：104-107.

的高校院系链接成网络。[①]

1998年，在《俄罗斯联邦教育系统现阶段改革思想》中有这样的论述：目前教育管理系统反映了转型期的普遍特点，处于从旧的行政命令管理方式向真正的国家—社会共管方式转变。自此，俄罗斯国家—社会联合组织进入了高等教育的管理系统。

2004年，俄罗斯联邦教育与科学部在《俄罗斯联邦教育系统优先发展方向》中指出：目前，吸引社会组织参与教育政策的制定和实施的机制仍然不够发达。在实施教育优先发展政策中，应创造条件提高国家—社会联合组织等社会组织在教育管理中的作用。

到2018年，俄罗斯的国家—社会联合组织有150个之多，它们的分支机构遍布国立和非国立大学以及这些学校的院系和教研室，成为高等教育管理中沟通协调、承上启下的不可或缺的信息通道。

二、国家—社会联合组织的职能和作用

国家—社会联合组织协调联邦政府、高校、公众间的各种关系，缓解三者之间的矛盾，促进高等教育资源的整合和合理配置，同时加强了高校与社会各个系统之间的联系，在其中起到调节与缓冲的作用。国家—社会联合组织是一类拥有较大自主权的非政府组织，虽然不具有刚性的行政职能，也没有直接管理学校的权力，但却代表了教育活动利益的相关各方参与教育管理，并为此提供相应的服务。其主要职能包括：

（1）协调俄罗斯联邦政府与高等教育机构之间的关系。

（2）参与高等教育的发展政策和规划的制定。

（3）制定高校培养各层次专门人才所需的规范性的教学法文件。

（4）参与高等教育内容的管理和过程控制。

（5）建议、修改、制定教育领域的立法。

（6）受联邦高等教育管理机构的委托参与学校的许可、认证、鉴定，

① Коршунов С. В. Государственно—общественные объединения в системе инженерного образования России [M]. Москва：Изд–во МГТУ им. Н. Э. Баумана，2005：285.

评估和保障高等教育质量的工作。

（7）规范高等教育机构自身的行为、维护高等教育机构和高等教育界工作者的权益，促进教师专业化，捍卫高校的自治权。

（8）协调高等教育资源配置，为教育决策和改革提供咨询和建议，参与国家教育标准的起草工作及课程标准等的制定与修改。

俄罗斯联邦教育部于2001年4月19日颁布的第1766号法令对《高等职业教育国家教育标准》制定工作的管理有三个层次的规定。下面借此来了解国家—社会联合组织在俄罗斯高等教育管理中发挥作用的过程。

第一层由联邦委员会制定《高等职业教育国家教育标准》。联邦委员会对所有知识领域的教育方针政策提出纲领性的要求，对高等职业教育培养计划（专业目录）和方案，高等教育学科领域的职业标准进行统一规划和要求。制定高等职业教育国家重点学科项目的布局、研究和实施方法。同时，联邦委员会要考虑知识领域协调委员会和学科协调委员会两者在《高等职业教育国家教育标准》制定过程中的建议，并保持在工作方法和项目设计中的一致性。联邦委员会制订的文件草案需要提交到俄罗斯联邦教育与科学部进行批准。

第二层是通过知识领域协调委员会和学科协调委员会这两个组织共同实施管理。知识领域协调委员会拟定《高等职业教育国家教育标准》的结构和各部分内容、教学计划和方案的结构，向联邦委员会提出建议；有权提出关于高等职业教育更新培养方向（专业）目录的建议。大学教学方法委员会相关领域内的董事会主席等人可以加入知识领域协调委员会。学科协调委员会制定并向俄罗斯联邦委员会提交国家、民族区域关于大学生选拔的课程组成及要求，制订各课程内容的最低限度要求和学习周期等方面的草案。因此这些建议要遵循学科规律。教学方法委员会主席是学科协调委员会中的一分子。

第三层管理由大学教学方法联合会和课程系列科学—方法委员会共同实施。大学教学方法联合会参与《高等职业教育国家教育标准》方案的制定，主导由其负责的培养方向和专业培训的学科教学大纲和计划的制订；为列入《高等职业教育国家教育标准》的普通学科和专业学科课程制定教学大纲；确保教学过程中的教学方法和物质技术的保障。大学教学方法联合会应引导知识领域协调委员会涉及《高等职业教育国家教育标准》培训方向（专业）目录的更新。另外，还可以创建教学方法委员会——国际交流管理委员会和教学方法特别委员会，保障二者在制定《高等职业教育国家教育标准》过程中行动和工作方法上的协调一致。在其他情况下，课程系列科学—方法委员会也可以规定培养方向和专业培训的结构，向课程系列协调委员会提交各学科领域课程的组成、规模和内容及关于学科领域的学术方法讨论方向的提案。

三、国家—社会联合组织的案例分析

俄罗斯国家—社会联合组织与其他西方国家教育中介组织相比，体现了自己的特色。它参与高等教育管理，充实了俄罗斯教育管理体制，平衡政府对高校控制管理的同时，也扩大了社会参与高校管理的权力。下面通过对俄罗斯大学教学方法联合会和高等教育质量协调委员会这两个组织的基本情况进行分析，以此了解国家—社会联合组织在俄罗斯高等教育中的职能与定位。

（一）大学教学方法联合会（УМО）

俄罗斯大学教学方法联合会是在俄罗斯联邦政府的“简政放权”中发展和壮大起来的，在高等教育管理中行使着自己的专业职责。自1987年成立至今，已经成为俄罗斯最大的国家—社会联合组织。

1. 大学教学方法联合会的性质及组织构成

大学教学方法联合会是在苏联基础教研室的基础上创建的，由基础教研室所在的大学与其他实力雄厚的大学自愿联合，按照专业类别成立的，涵盖了目前80所大学、22个相关专业和方向，是俄罗斯国家—社会联合组织的典型代表。大学教学方法联合会的建立是为了协调高校科教界的活动以及高校与企业、机关、团体间的活动，从而保证高等教育的质量和发展，为人才培养提供科学的方法论保证。[①]

大学教学方法联合会的组成人员有高等教育机构的代表（知名学者、一

① Типовое положение об учебно-методическом объединении высших учебных заведений Российской Федерации [J]. Бюллетень министерства образования Российской Федерации, 1997（7）: 21-24.

般教师、教育活动的研究人员、组织及其他员工）、教育体系工作组织的代表，还有企事业单位、科研院所和各相关领域的组织代表。同时，可以按照俄罗斯联邦法律吸纳外国公民、外国法人团体参与协会的工作。大学教学方法联合会涉及多种学科和领域，基层组织有按文凭专家培养方向组建的教学方法委员会，按学士（硕士）方向组建的教学方法委员会和按专业组建的教学方法协会。[①]大学教学方法联合会在俄罗斯联邦政府教育主管部门法律的规范内开展活动，每年都要向俄罗斯联邦中央高等教育行政管理机构汇报工作。

理事会是大学教学方法联合会的领导机构，理事会下设主席团在会议期间主持工作。理事会，按照“大学教学方法联合会的章程”开展工作。理事会理事长和主席由高校校长担任，理事长领导组织理事会和主席团开展各项工作，在高教管理机构中代表联合会。理事会副理事长一般为基础大学教学副校长，对大学教学方法联合会工作进行直接领导，执行理事会的各项决议。为协调各大学教学方法联合会的职能、工作原则和方法，俄罗斯联邦教育与科学部国家教育政策司下设大学教学方法联合会与各课程系列科学—方法协调委员会，负责管理大学教学方法联合会的工作。大学教学方法联合会可以独立创建必要的理事会、委员会和其他组织机构，并赋予其功能。[②]理事会至少一年一次会议，主席团每半年一次会议，对具体的高教问题进行讨论和研究。会议决议的制定规则是至少要有理事会或委员会一半成员参加，通过公开投票表决。

2. 大学教学方法联合会的工作方向和职能

大学教学方法联合会的工作方向：

——参与制定《国家教育标准》和毕业生培养水平以及补充教育大纲的基本内容及方案。

---

① 吕子燕．俄中高等教育领域国家—社会联合组织的比较研究［D］．哈尔滨：哈尔滨工业大学，2007：19.

② Типовое положение об учебно-методическом объединении высших учебных заведений Российской Федерации［J］. Бюллетень министерства образования Российской Федерации,1997（7）：21-24.

——参与高等教育机构示范性教学计划和教育大纲的制订。

——保证高校具有培养各层次专门人才所需的规范性教学法文件。

——受联邦高等教育行政管理机关的委托，参与学校的许可、鉴定、评估等各项工作。

——参与有关高等教育发展问题的文件草案的准备与评定工作。

——参与研究和制订教师业务水平、教师进修的大纲。

——向联邦高等教育行政管理机构提交有关国家教育政策的议案。

——参与教材和教学法书籍的编写及视听设备生产的竞标。

——组织有关高等教育问题的各项会议，举办大学生奥林匹克竞赛及其他比赛。

大学教学方法联合会的职能：

——参与《国家教育标准》和示范性课程的起草工作，在确保高等教育内容质量上协调高校、公众与企业，机构和组织的关系，为更高的如研究生专业基础教育课程和教育内容的结构开发提供建议。

——制订关于其负责的高等教育领域培养过程中必要的基本教育大纲内容的草案。

——参与基础大学教育课程的专业资格认证制度的工作。

——联合俄罗斯外交部组织和举行国内和国际会议、讲习班和研讨会。

大学教学方法联合会成立至今，为俄罗斯高等教育做了大量工作，从参与历次《国家教育标准》的制定，到制定高等教育现代化实施的各项政策，以及实施国家教育创新模式和开展远程教育和信息化网络建设，无不发挥着巨大的作用。

（二）高等教育质量协调委员会（СКУК）

近年来，世界各国越来越关注教育的质量问题。2003年，俄罗斯加入“博洛尼亚进程”，成为欧洲高等教育领域中的一员。为此，俄罗斯高等教育体制必须做出调整，改变传统的国家教育质量鉴定和监督系统。俄罗斯联邦教育与科学部，于2004年3月成立了高等教育质量协调委员会。

1. 高等教育质量协调委员会的性质及组织构成

高等教育质量协调委员会是俄罗斯联邦教育与科学部运作监管的咨询、协调机构。委员会的目的是引导质量管理的发展方向和制定质量管理的控制机制，促进教育管理机构和高校实施质量管理目标的实现，保障高等教育质量检测体系的建立和使用，合理利用资源，有效地利用高校质量保障体系，确保高校能够为国家培养国内外高技能专家人才。

俄罗斯联邦教育与科学部决定高等教育质量协调委员会的设立或取消。高等教育质量协调委员会遵守俄罗斯联邦的法律、俄罗斯联邦政府在教育领域内的规章、俄罗斯外交部的法律规范、《博洛尼亚宣言》和欧洲共同体在“博洛尼亚进程”框架内的其他文件。

高等教育质量协调委员会由俄罗斯联邦教育与科学部工作人员、教育领域内质量监督与管理的领导专家、教育系统内的组织代表、教学和科研机构的代表组成。教育与科学部副部长担任其主席，对委员会实施总的领导。高等教育质量协调委员会设有执行秘书，秘书的责任是准备会议，并将决议传达到相关机构。高等教育质量协调委员会内设有由各高等教育机构组织代表和各大学校长组成的董事会，董事会成员的更改和补充由俄罗斯联邦教育与科学部进行监督。

2. 高等教育质量协调委员会的工作方向和职能

高等教育质量协调委员会的工作方向：

——确定高等教育质量管理领域的活动目标，为俄罗斯高校进入“博洛尼亚进程”创造条件，同时确保国外能够认可俄罗斯在教育领域内的文件。

——协调高校在教育质量管理领域中的各项活动，推动教育质量评价标准和方法的形成（《博洛尼亚宣言》）。

——对大学质量体系的制定进行监测和咨询（引入符合标准 ISO 认证）。

——评估大学质量系统的效率。

——对委员会、董事会主席批准提交的活动方案进行讨论和协商。

——对高等教育质量管理体系在建设过程中遇到的一些问题和困难提出意见和建议，从而保证高等教育质量管理体系能够得到国际上的认可。

——负责落实大学和发展会议决定，并提出相应的工作程序。

——研讨并批准大学在完成高等教育委员会确定的质量管理任务方面的报告。

——研究高等教育和大学质量管理体系，开展质量管理过程的扩展及完善方面的工作；为教育机构在职业教育质量管理领域组织会议、研讨会和圆桌会议提供援助。

高等教育质量协调委员会的主要职能：

——协助教育与科学部教育质量监督司开展各项工作。

——协调各大学在建立教育质量保障体系方面的工作，并进行行业自律。

——为教育机构在建立教育质量保障体系中出现的问题提供建议和咨询。

——推广提高教育质量的经验。

——促进大学质量系统的研究和发展，宣传教育质量管理思想。

俄罗斯一直非常重视提高高等教育质量，在高等教育领域实施了许多国家级规划，如《教育系统的科学、科学—方法、物质技术和信息保障》《在职业教育机构中建立和贯彻质量管理系统的科学方法保障》等。在大学的倡议下，高等教育质量协调委员会在俄罗斯联邦教育与科学部的支持下召开了高等教育质量管理方面的多次会议。为使俄罗斯的高教质量标准与欧洲其他国家的高教质量标准接轨，高等教育质量协调委员会联合圣彼得堡国立电子技术大学、莫斯科国立钢铁学院（工艺大学）、斯坦金莫斯科国立工艺大学、托木斯克工业大学等院校共同制定了适用于“博洛尼亚进程”的大学教育质量体系典型模式，并领导它的贯彻与实施工作，创建了大学自我评价模型。这些工作使俄罗斯大学适应了现代俄罗斯和国际市场的要求。高等教育质量协调委员会在建立大学质量系统、完善人才培养质量监测机制方面配合教育与科学领域监督司开展工作，促进大学研究和采用教育机构质量模型来提高教学质量。目前，俄罗斯联邦教育与科学部选定莫斯科国立钢铁合金学院作为全面贯彻教育质量模型试点单位，高等教育质量协调委员会密切关注并总结该大学所取得的经验和教训。高等教育质量协调委员会协助俄罗斯联邦教育与科学部成立大学质量系统鉴定委员会，提供对大学教育质量进行专家鉴定的建议。高等教育质量协调委员会的活动定期在大众媒体上报道。

第三节　俄罗斯大学校长联盟

俄罗斯大学校长联盟（Российский Союз Ректоров，РСР）成立于1992年，作为政府支持的非官方社会组织，其功能是积极参与俄罗斯的高等教育管理，在教育政策和法律的制定、高等教育稳定和发展方面起着举足轻重的作用。

一、大学校长联盟的概况

（一）大学校长联盟的性质

大学校长联盟是苏联解体后，俄罗斯成立的第一个高等教育领域的联盟组织。根据《俄罗斯大学校长联盟章程》的规定，大学校长联盟为独立法人，是非营利性全俄组织，是由各大学校长自愿参加、自我管理的团体。大学校长联盟活动不追求任何政治目的，不依附任何政党和群众运动，根据《俄罗斯联邦宪法》《俄罗斯联邦公民法》《俄罗斯联邦非商业机构法》和其他俄罗斯联邦法律条款及联盟的章程开展活动。在活动中，大学校长联盟遵循合法性、公开性、自主管理、自负盈亏，以及成员自愿和平等原则，有独立财产权和其他的相关权利，拥有独立的银行账户，经费主要来源于成员学校缴纳的会费。

（二）大学校长联盟的人员组成及组织结构

大学校长联盟的主要成员是俄罗斯联邦高等教育机构的校长和领导，同时还有各部委和工商业组织的代表，其中包括900位国立大学校长和100多位私立大学校长，并在7个大区和73个分地区设立了分支机构——地区大学校长联盟。机构有大学校长联盟全体代表大会、大学校长联盟委员会、大学校长联盟执委会、大学校长联盟主席团和大学校长联盟主席。大学校长联盟全体代表大会是其最高权力机构，选举其他常设机构，并决定大学校长联盟的重大活动方向。大学校长联盟设主席1人、副主席11人，五年一届，选举产生。由70多所大学的校长组成的大学校长联盟委员会是常任领导机构，在全体代表大学休会期间决定重大事项。还设有一个25人的执委会，负责执行有关决议，两年一届。同时，大学校长联盟设有分学科的分委员会，并有常设机构和专职人员，办公地点在莫斯科大学。①地区大学校长联盟在各自的地域代表大学校长联盟的利益。分支机构不是法人组织，但实行自治。俄罗斯联邦教育与科学部和大学校长联盟制定的法规和决议要传达给地区大学校长联盟，地区大学校长联盟也要定期向上述机构提交工作报告。

（三）大学校长联盟的宗旨和职能

大学校长联盟的宗旨是团结俄罗斯联邦高等教育机构的校长，维护高等教育系统的稳定和发展，保证国家教育与科技领域改革的正确性和连续性，选择本国高等学校发展方面的平衡政策，协调和发展俄罗斯各高等学校校长在经济、法律、人文、科学和其他各领域内的相互联系，在维护国家稳定的前提下，为大学争取更多的自主权。大学校长联盟主要具有缓冲、协调、建议、咨询的职能，反映在以下方面。②

——协调政府与高校的关系，确保高等教育领域的稳定与发展。

——确定在有关高等教育教学与科研工作、改善高校物质基础设施等重大政策问题上高校的一致立场。

——发展高等及大学后教育系统，提高高等教育的质量、普及率和大学的学术自由，发展高等学校的基础和应用科学研究。

——在高等教育体系内协调各种不同的利益，以达成必要的一致性，保证高等教育领域流动性和自由发展的空间等。

——就教育与科学领域重要法律、法规的制定和修改、重大发展规划的制定和实施提出政策性建议。

——保护会员的公民、社会经济、政治和职业的权利与自由。

---

① Устав Российского Союза Ректоров [EB/OL]. [2007-06-07]. http: //rsr—online. ru/documents. htm.

② 同上。

——为会员提供有关国内外高等教育成果的信息和咨询，向国内外机构和组织提供有关俄罗斯高等教育问题的咨询和信息。

二、大学校长联盟代表大会的作用及影响

截至2012年，大学校长联盟已经召开了9次大会。针对不同时期的社会变革，大学校长联盟在历次的代表大会上都发出了能够影响国家政策的声音。第一次代表大会暨1992年召开的大学校长联盟成立大会，最重要的内容是制定了联盟的章程并建立了大学校长联盟的组织机构，为其以后的工作开展奠定了坚实的基础。

大学校长联盟第二次和第三次全体代表大会是在俄罗斯国家发展的特别时期召开的两次决定高等教育命运的大会，保障了俄罗斯高等教育系统整体平稳发展。大学校长联盟第二次全体代表大会于1993年6月召开，名称为“非常代表大会”。针对政府所采纳的“休克疗法”政策而使高校的国家援助急剧降低的状况，会议做出了以下主要决议：政府保证对高等教育机构及大学生、工作人员的财政拨款；代表大会授权大学校长联盟理事会与教育工会共同研究集体行动措施，确保高校职能的发挥。①一个月后，由于联邦政府没有履行对高校的拨款义务，大学校长联盟委员会又做出决定：9月1日在高等教育机构中集体举行反对高等教育崩溃的群众集会；支持各级工会组织维护教育工作者利益的举措；提请各级教育主管部门加大对教育和科学领域的财政拨款；拒绝国家财产委员会制定的“国家和地区教育机构私有化”草案，指出这将导致俄高校的消亡。鉴于大学校长联盟的反对，俄罗斯联邦政府修正了教育领域私有化措施。②大学校长联盟第三次全体代表大会于1994年5月召开，当时财政和组织上的困难给俄罗斯高校带来了无法弥补的损失。大会敦促政府尽快实施第407号政府令——“支持俄罗斯教育系统”；通过并执行《俄罗斯联邦教育发展纲要》，以此保证高教系统的稳定。建议

① Решение Российского Союза ректоров [J]. Бюллетень министерства образования Российской Федерации，1993（8）：23-24.

② 同上。

联邦政府采取以下措施：①为高教改革创造条件，促进高等教育领域的国家—社会管理系统的形成；②补偿对高校的预算欠款，划拨补充资金为教师增加附加工资，保证全额实施《俄罗斯联邦教育发展纲要》规定的阶段性财政措施；③制订明确的高校人才近期需求计划；④制定和执行转型期保护高校权利职能的法律、法规，不要采取未经大学校长联盟事先通过的有关高校的法规，在私有化纲要中剔除国家教育机构及其科学、医学、生产基地的私有化规定，不要将联邦和部委所属的大学随意转为地区（联邦主体）、市级管理，不要关闭或卖掉大学。①

大学校长联盟第四次全体代表大会于1995年3月在莫斯科召开。大会列举了在大学校长联盟积极参与下高等教育取得的新成果，呼吁政府部门确保高等学校的国家预算拨款按时全额履行，大学学术界要积极参加高等教育政策的制定与实施，并强调这也是大学校长联盟的主要任务。此次大会决议在会后得到了实质性的贯彻：

第一，大学校长联盟加强了同联邦委员会和国家杜马的联系，促使《俄罗斯联邦教育发展纲要》《国家科学和科技政策》《俄罗斯联邦高等和大学后职业教育法》获得通过。

第二，大学校长联盟请求国家杜马变革《国家预算法案》（1996年），扩大对高校的拨款，并联合相关部委共同研究高校科研发展前景，将注意力集中于提高基础研究和激活创新工作。

第三，国家杜马根据大学校长联盟的建议修订《俄罗斯联邦教育法》第41条，取消对国立大学招收自费生不超过25%的限制。

第四，联邦政府根据大学校长联盟的建议，采取措施刺激私人资本和公民个人储蓄进入社会教育贷款，发展个人继续教育保险。

第五，联邦政府免除高等教育机构进行的企业性和其他经营性活动的收入税。②

---

① III съезд Российского Союза ректоров [J]. Бюллетень министерства образования Российской Федерации，1994（8）：3–4.

② IV съезд Российского Союза ректоров [J]. Вестник высшей школы，1994（4–6）：10–18.

这是一次俄罗斯社会步入平稳发展时期高等教育工作任务进行调整的一次大会，在国家制定高等教育的法律法规方面发挥了重要的作用。

第五、六、七、八、九次代表大会全部是围绕高等教育质量以及新时期高等教育改革的问题进行的，对于高等教育的高质量发展，以及高等教育如何为国家发展建设服务方面提出了很多建设性的思路和措施。第五次代表大会的目的是讨论为发展俄罗斯高等教育而需采取的一系列紧急措施：通过教育改革思想大讨论，形成一系列草案提交政府作决议；通过团结一切政治派别，制定了有关高等教育的国家政策。大会针对高等学校在师资、财政和物质资源等方面流失、匮乏，高等教育系统的商业化步伐太快，非国立学校人才培养的质量得不到保证，高等教育大众化程度下降等迫切需要解决的问题，提出了建设性的解决措施。[①]第六次代表大会的主题为“21世纪是教育的世纪”。会议讨论了世纪之交俄罗斯高等教育的发展方向。[②]第七次代表大会会议主题之一为“当代大学的发展”。根据普京总统的建议，大会制定了教育现代化措施，确定了高校整体发展模式，并呼吁社会各界尽一切可能保证高校的循序发展。大学校长联盟主席在题为《俄罗斯高校：传统与现代》的报告中阐述了给予大学生基础教育的观点，认为高校要为学生获得高质量的教育负责。[③]

第八次代表大会于2006年6月召开，俄罗斯国内几乎所有的大学校长、国家教育机构的代表和世界其他国家的大学代表参加了大会，参会人员约有1 500人。大会讨论了现阶段俄罗斯高等教育的一系列重要问题，特别讨论了《国家教育优先发展规划》，倡议制定《俄罗斯教育法典》。会议形成了题为《俄罗斯的高等教育——普及性、高质量、竞争力》的决议，号召大学校长集体为提高高等教育普及性、高质量和竞争力而努力。大学校长联盟主

---

① 顾淑霞．90年代以来俄罗斯重要的高等教育会议［J］．比较教育研究，2001（2）：62-63．

② VI съезд Российского Союза ректоров［J］. Бюллетень министерства образования Российской Федерации，2001（1）：25-29.

③ VII съезд Российского Союза ректоров［J］. Бюллетень министерства образования Российской Федерации，2003（1）：15-24.

席作了以《普及性和质量》为题的报告。报告涉及了高等教育和科学发展的道路、为解决目前存在问题应采取的对应性措施等，受到与会者的一致好评和支持。大会向国家杜马、联邦委员会提出如下请求：支持大学校长联盟提出的在《自治机构法》草案中规定“教育领域除外”的建议；考虑大学校长联盟提交的关于更改《俄罗斯联邦高等及大学后职业教育法》第12条和第20条的建议，其中包括完善现行高等教育机构领导机构形成程序；考虑修改《俄罗斯联邦教育法》和《俄罗斯联邦高等及大学后职业教育法》中进行奥林匹克、职业竞赛和统一国家考试的规定；审议大学校长联盟制定的《示范工作者的地位法》。①

第九次代表大会于2009年3月举行，会议主题是“在新的社会经济条件下高校发展战略——领先、成效和稳定”。在这一主题下，大会进行了若干问题的讨论，形成了如下的共识：高等教育中的基础性教育应强调科学研究基础上生产知识，高等工程教育要突出理论与实践的结合，要突出数学在国家教育体系中的作用，要重视俄语文化在各类人才培养中的意义，倡议建立新法律语境下的教育体系，要建立大学与社会经济关系的体系，要重视大学生社团的作用，要建立中学生、大学生、研究生和青年学者的智力竞赛体系。大会向全世界发出了要建立《新的教育测量》的倡议。②

三、大学校长联盟的功能及启示

从历次代表大会所探讨的议题以及所发挥的作用来看，大学校长联盟在不同时期的主要工作是随着国家政治和经济发展及高教改革步伐而不断变化的。20世纪 90 年代是俄罗斯政治、经济结构的完全变革时期，在私有化浪潮中，大学的处境一度十分艰难，投入不足长期困扰着高等教育的发展。这一时期大学校长联盟历次代表大会的主要议题，大部分是围绕争取国家对高等

① VIII съезд Российского Союза ректоров [J]. Бюллетень министерства образования Российской Федерации， 2006（8）：18-23.

② IX съезд Российского Союза ректоров [J]. Бюллетень министерства образования Российской Федерации， 2006（8）：36-41.

教育的财政支持，扩大高校经费来源和提高高教领域学生和工作人员的经济地位等稳定高等教育系统的基本问题进行的。同时大学校长联盟充分利用其建议咨询功能，就转型期教育与科学领域重要法律、法规的确立和更改向政府部门提供建设性意见，坚决反对政府采取的有损高教系统长远利益的政策措施，引导和促使国家出台了一系列保证高教系统稳定发展的宏观政策和法规。大学校长联盟在统一俄罗斯高等教育界思想、克服高等教育面临的危机方面做出了重要贡献。特别是在控制教育领域私有化和保障国家财政拨款问题上，很好地起到了沟通和缓冲的作用。

进入21世纪后，在俄罗斯政治稳定、经济趋于好转的形势下，大学校长联盟更多地关注高等教育自身发展的深层次问题，如：讨论高等教育现代化问题，提高高等教育普及率和质量，提高大学的经济和社会效率等。同时继续参与国家在教育和科学领域的立法工作，为国家教育、科学重大发展规划的制定和实施提供建议。特别是俄罗斯加入“博洛尼亚进程”后，高等教育的未来发展方向更是大学校长联盟特别关注的问题，大学校长联盟在使高校在国际化背景下能更好地保持本国的传统方面发挥了重要的作用。

在俄罗斯，大学校长联盟不是教育与科学部的从属机构，而是与之平行的参与教育管理的社会组织，在协调大学内部，大学与政府、与社会之间的关系上的确发挥了独特的作用。大学校长联盟对国家教育政策的制定和教育立法经常发出与教育与科学部不同的声音，有自己的建设性立场，并经常同国家杜马、联邦各级教育行政管理机构开展各种形式的建设性对话。俄罗斯联邦政府在高等教育领域做出重大决策时，一般都要听取大学校长联盟的咨询论证；教育与科学部成立的大学校长候选人资格审查委员会，各种评估、鉴定、检查委员会都会请大学校长联盟参与和介入。

大学校长联盟，一方面可以引导和协助国家教育行政管理机构就高等教育领域内的迫切问题采取措施，维护本行业利益，协调与各方面的关系；另一方面可以对本行业进行自我管理。这种组织在一定意义上是政府权力转移的产物，它将原来由政府行使的部分权力和工作承接下来，从而有利于克服政府权力过于集中或政府在行使这类权力中的一些弱点。

第七章　俄罗斯民族地区教育的一体化治理

20世纪90年代，俄罗斯有关机构提出了实施区域教育政策的设想，这一设想主要体现在1992年颁布的《俄罗斯联邦教育法》和一些共和国层面的法律文件中，地方拥有了选择教育政策的权利和义务，能够根据本地区的社会、经济、地理、文化，以及其他条件制定本地区的教育发展方案，由此产生了教育的区域化。在俄罗斯统一的社会文化和政策体系受到挑战的情况下，找出联邦教育和区域教育的最佳平衡点，成为21世纪俄罗斯民族教育治理的政策取向。

第一节　苏俄民族地区教育政策的变革过程

民族教育政策是多民族国家民族政策价值取向的具体表现，是妥善解决民族问题、发展民族教育、提高民族文化素质的重要手段。不同时期的民族政策直接影响着民族教育政策的变化和发展。从沙皇俄国到今天的俄罗斯联邦，俄罗斯的民族政策经历了推行大俄罗斯主义、主张民族自决权和实行民族区域自治、人为加速民族融合和强制推行俄语、完善联邦制、实行民族文化自治、提倡民族文化复兴等变革过程。

一、苏联时期“民族区域自治”政策

16世纪中期的沙皇俄国通过对外征服与扩张，使俄罗斯由单一民族的国

家，变成了拥有100多个民族的多民族国家。[①]20世纪，十月革命后建立的苏维埃共和国是以民族区域自治为基础的联邦国家。民族区域自治按民族划分行政区域，以主体民族名称冠名加盟共和国和行政区域，实行民族—国家联邦制。[②]苏联时期的民族政策可以分为以下四个阶段：

列宁时期——民族区域自治的初创。列宁时期的民族政策以民族自决权和双重国家主权原则、联邦国家体制和民族区域自治原则、民族平等原则为主要特征。

斯大林时期——民族区域自治的发展。斯大林执政初期的民族政策主要包括坚持民族自决权，发展统一的联盟国家，培养和任用少数民族干部，重视发展落后民族地区经济和文化等。但是到20世纪30年代后期，出现了大俄罗斯主义倾向、联邦制变成高度集中的单一制、民族问题等同于阶级斗争等严重错误。

赫鲁晓夫和勃列日涅夫时期——民族区域自治的停滞。它的主要特点是人为加速民族融合，实行民族杂居，压制民族文化语言的发展，强制推行俄语等。

戈尔巴乔夫时期——民族区域自治的恢复。这一时期民族政策的主要特征是扩大各种形式的民族自治权利和能力，保证各民族享有平等的权利，为民族语言文化的自由发展创造条件等。

纵观苏联时期的民族政策特点不难发现，这一阶段的民族政策比较混乱，前后不一、互相矛盾。但是从总体上看，在苏联时期实行的民族政策当中，民族区域自治政策始终占主导地位。民族区域自治虽然贯穿于整个苏联时期的民族政策过程，但存在着很多弊端。首先，这种体制没有建立起各民族间的平等关系，没有冠名的民族实际上感到不平等。其次，人为制造民族区别，不利于民族团结和国家的统一。尽管苏联的解体证明这种行政区划存在很大的消极面，但已形成的局面一时很难改变。因此，俄罗斯仍然保留了民族自治共和国、自治州、自治区的做法。

---

① 吴明海．中外民族教育政策史纲［M］. 北京：中央民族大学出版社，2006：232-244.

② 左凤荣．苏联处理国内民族问题的经验教训［J］. 民族社会学研究通讯，2011（3）：4-5.

二、俄罗斯联邦“民族文化自治”政策

俄罗斯是个多民族国家，如何处理好民族问题和民族事务一直是俄罗斯联邦面临的重大问题。世界上许多多民族国家把民族文化自治作为实行联邦制的一种补充措施。俄罗斯联邦政府认为民族文化自治是建设各民族共同体，特别是保障分散居住的少数民族的权利和自由的有效形式，是保护和发展各民族特有的风俗习惯、语言、文化和教育需求，保持民族间稳定性，预防各种冲突的重要举措。为此，1996年6月17日，俄罗斯发布《俄罗斯联邦民族文化自治法》。民族文化自治组织是隶属于某些俄罗斯联邦共和国的社会团体，成为独立自主地解决保护和发展民族语言、文化教育问题的自治组织。民族文化自治建立原则包括：公民自由选择某个民族共同体，自我组织和自治；社会主动积极性原则与国家扶持原则相结合；尊重不同民族共同体公民的语言、文化、传统、习俗等。此外，1996年颁布的《俄罗斯联邦民族政策构想》在分析当时俄罗斯民族关系的现状与特点的基础上，提出了俄罗斯的民族政策思路，即完善联邦制，实行民族文化自治，制定民族政策的地区纲领。①

苏联和俄罗斯时期的民族政策一直围绕着民族区域自治和民族文化自治原则。苏联时期反对的民族文化自治理论在当前的俄罗斯得到大力发展，且俄罗斯竭力提倡民族文化的复兴。②在民族政策方面，俄罗斯联邦从组建民族自治实体的思路转向实行民族文化自治的思路，并认为民族文化自治是满足民族自我意识增长的需求。

三、民族地区教育发展的政策

回顾从苏联成立以来的民族教育政策历史，可以发现，俄罗斯的民族政策是其民族教育政策发展的直接依据。各时期的民族政策不同，其民族教育政策也不同。

---

① Концепция государственной национальной политики Российской Федерации 1996. [EB/OL]. [1998-07-18]. http: /www. scrf. gov. ru/doc uments/27. html.

② 陈联璧 . 俄罗斯民族关系理论和政策的变化 [J]. 东欧中亚研究，1999 (1) : 32-38.

苏联时期的民族教育经历了繁荣、停滞不前、忽视民族教育和提出民族教育振兴等发展阶段。下面就从这几个阶段阐述苏联时期的民族教育发展状况及其政策特点，见表7-1。

表7-1 苏联时期民族教育及政策特征表[①]

时　间	出台的政策	政策特征	民族教育发展
民族教育繁荣时期（1917年至20世纪30年代）	《俄国各族人民权利宣言》《关于少数民族学校的决议》	享有民族教育自决权；大力扶持民族教育事业	71%-94%的各民族儿童，用48种民族语言接受初等教育（1927—1928）；全苏共有85所民族师范学校和8所师范学院，其中24所设有民族组教师学习班（1929）；莫斯科设立中央民族科学研究院（1931）；20世纪30年代中期各加盟共和国普及初等义务教育
民族教育停滞不前时期（20世纪30年代末至50年代后期）	苏共十七大修改党章；修改教育法	全苏国民教育以规范化、统一化、划一化为特征；地方教育管理机构和学校在办学、财政、教学和管理等诸方面没有自主权	在全苏范围取得较高水平的教育质量，但忽视了地区发展水平的不平衡、民族文化的不同特点和少数民族文化的传承与发展；1950年全苏普及七年制义务教育，高校学生超过100万名
忽视民族教育发展时期（20世纪60年代初至80年代）	苏共二十二大决议报告	俄语是“各族人民的第二本族语”；实行“双语制”，广泛推广俄语	大部分民族学校开始用俄语教学；懂俄语的少数民族人数急剧上升；少数民族语言教学停留在低年级水平上；少数民族语言的社会功能逐渐萎缩，民族文字出版物数量急剧下降

① 阿依提拉·阿布都热依木．民族政策推动下的俄罗斯民族教育发展及其政策特征 [J]. 比较教育研究，2012（2）：60-64.

续表

时　间	出台的政策	政策特征	民族教育发展
提出民族教育振兴时期（20世纪80年代末至苏联解体前夕）	苏共纲领《党在当前条件下的民族政策》	提倡扩大民族自治权，保证各民族享受平等的权利	将母语作为教学语言保留下来的民族只有18个，其中在小学水平以上的只有4个；俄罗斯苏维埃28%的非俄罗斯族居民将俄语作为母语，60%的居民将俄语视为自己的第二语言；民族教育开始提倡回归“母语学校”

根据上表内容我们可以总结苏联时期的民族教育政策：

（1）从十月革命胜利到斯大林执政初期民族教育政策在“民族平等”“民族区域自治”和“享有民族教育自决权”的前提下，取得了显著成就。

（2）从斯大林时期到赫鲁晓夫时期，再到勃列日涅夫时期，民族理论出现了严重的脱离实际的超越阶段的思想。

（3）在戈尔巴乔夫时期提出的“民族教育振兴”政策下，民族教育开始提倡回归“母语学校”。

在20世纪80年代中期，苏联推行以“民主化”“人道化”“公开化”等为口号的“新思维”改革。变革为各种形式的民族自治权的扩大、民族语言和文化的自由发展创造了条件。这一时期，被称为“民族文艺复兴时代”。[①] 1990年，苏联最高苏维埃通过了《苏联各民族语言法》《关于划分苏联和联邦主体权利法》等文件。但没过多久，各加盟共和国纷纷宣布独立。直到1996年连续颁布的《俄罗斯联邦民族文化自治法》和《俄罗斯联邦民族政策构想》，为俄罗斯的民族教育发展赋予了更大的自主权，民族教育的发展以法律的形式得到保障。

① Белогуров А. Ю. Становление и развитие этнорегиональных образовательных систем в России на рубеже XX–XXI веков［M］. М.：2003：54–55.

与苏联时期相比，今日俄罗斯的民族教育政策有以下特征：

一是民族教育政策发展方向更为明确。为了更好地解决民族教育存在的问题和满足俄罗斯各民族人民的民族文化教育需求，2006年8月，俄罗斯联邦教育与科学部颁布了《俄罗斯联邦国家民族教育政策构想》。该构想从俄罗斯社会多民族属性给教育体系带来的问题出发，确立了民族教育政策的基本原则和首要任务，并提出要达到的目标和预期结果。《俄罗斯联邦国家民族教育政策构想》以满足俄罗斯各民族的民族文化和语言教育需求，结合联邦文化、教育和精神领域，将多民族的俄罗斯凝结成一个政治实体，在全俄罗斯公民意识中形成民族自我认同感，确保俄罗斯的民族语言学习者能够获得高质量的教育为首要任务。

二是民族教育得到更大的自主权。俄罗斯联邦政府颁布的《民族文化自治法》扩大了地方教育自主权，授权民族地区可创办非国立的教育机构，并在这些机构中使用民族语言教学，制定教学大纲，出版教科书和其他教材等。从此，民族地区有权向联邦执行权力机关和地方自治机构提出在国立和私立学校设立使用民族语言教学的年级和班级，并参与制定教学大纲。

三是国家教育标准增加可变部分。1993年，俄罗斯联邦政府颁布《普通学校基础教学计划》，并将国家教学标准的组成部分分为不可变部分和可变部分。其中，可变部分由俄罗斯联邦各主体和各学校根据民族地区各学校的特点制订，地方教育管理部门可以根据各地区民族文化传统的差异化和文化教育的发展水平制订各地区的教学计划。

四是民族学校以双语为特征。出于对母语的天然情感和增强本民族文化凝聚力的需要，使居住在莫斯科和圣彼得堡等大城市的不同民族团体代表们产生了设立民族学校的愿望。因此，在20世纪90年代，涌现出了大量的非公立民族学校。俄罗斯联邦政府对建立民族学校的需求也做出了积极的回应，并为其提供了校舍。虽然俄罗斯各地区的民族学校教育模式各不相同，但是都有一个共同点，即民族学校中既要学习母语，又要学习俄语。[①]在不同教学阶段，学生对双语学习的要求也不一样。在初级阶段，学生大部分精力要投入到母语的掌握上。在高级阶段，学生在母语和俄语之外接受外语教育。以北高加索地区为例，其民族教育模式是：1–2年级的教学语言为母语加少量的俄语（母语—俄语双语），从3年级开始教学语言是俄语加广泛的母语（俄语—母语双语），从5年级开始教学语言既有母语，又有俄语，对两种语言的要求都较高。

实践证明，俄罗斯各地的民族学校在学校权利的保护和认证、教师和学生资格的授予等方面都得到了政府的支持。在回归“母语学校”原则的推动下，民族学校开始用民族语言授课。目前，在俄罗斯的学校教学中，拥有包括俄语在内的75个民族的语言，其中有30个不同程度地作为授课语言存在（1988年只有18个）。将母语作为教学语言和将母语（非俄罗斯语）作为一门课程的学校占俄罗斯联邦整个学校系统的25.6%（2002—2003 学年）。此外，民族学校毕业生占总数的比例也有所增长。

俄罗斯联邦政府出台的一系列民族政策虽然为民族教育政策的形成指明了方向，为民族教育事业的发展提供了依据，但随之也出现了一些新问题。20世纪最后十年的实践表明，民族语言数量的增加并没有给教育系统带来好的发展，反而出现了学生对俄罗斯语言与文化的掌握水平逐渐降低，增加的教育成分不符合地区和联邦教育战略目标等现象。俄罗斯民族地区教育及其政策存在以下问题。

第一，《俄罗斯联邦教育法》中没有提供关于协调各方利益，保证必要的权力平衡的专门机制。实践证明，在统一的教育空间下，俄罗斯民族教育政策既要确保从初级到高级的教育体系内各阶段之间的内在联系，又要保证多语言、多文化的俄罗斯教育空间和价值体系的多元化。但是这作为一个联邦层面的问题，还没有得到解决。

第二，出现了联邦中央和地区教育政策不统一的局面。俄罗斯联邦政府

---

① Белогуров А. Ю. Становление и развитие этнорегиональных образовательных систем в России на рубеже XX–XXI веков [M]. М.: 2003: 58–59.

以法律形式扩大了地方的教育自主权，各民族共和国在联邦教育框架下开始发展各自的民族地区教育体系。法律规定了各组成部分的独立地位，意味着所有的民族教育问题都转移给地区一级。联邦政府不再作为保障权利、承担规范教育关系义务的实体。这种规定使在联邦中心区和俄罗斯联邦各主体的独立管辖范围内分离一部分教学内容，为实现民族地区教育目标而自主使用民族地区权限创造了可能性。这意味着教育目标在联邦和民族地区层面上可以分离。显然，地方教育自主权为保持各民族特有的文化传统、体现民族教育优势、保护和发展民族语言等方面提供了有益的条件，但是随之出现了联邦中央和地区教育政策不统一的局面，即俄罗斯联邦各主体教育标准的联邦部分和民族地区部分不一致。这必然对《俄罗斯联邦教育法》中规定的“保持联邦文化与教育空间的统一”原则带来威胁。

第三，以双语为基础的民族教育缺乏理论指导。以双语为基础的民族学校教育，对教学组织和方法提出了更高的要求。但是，由于缺乏教学方法论基础和对民族教育的理论指导，与传统的普通学校相比，民族学校出现了教学质量低（特别是对联邦部分的教学）、教学负担重、师资力量不足等问题。

第四，对民族学校的地位没有共识。民族地区的大部分公民都一致认为应该大力发展民族教育，扩建民族学校，但是由于教育界缺乏对民族学校在地区社会文化空间的地位和组织特点的共识，所以该问题无论在理论上，还是在实践层面都没有得到解决。此外，由于对民族学校教学效果的不信任和担心子女将来考不上国内的重点大学，大多数家长不选择民族学校。

第二节　“统一教育空间”与民族地区成分的引入

一、“统一教育空间”的概念

沙伯瓦洛夫（В.К.Шаповалов）指出，当今俄罗斯教育法律条例与之前版本的差异在于，“权力基础由文化极权主义（культурный тоталитаризм）和教育一元论（образовательный унитаризм）在向多民族国家教育空间联邦制（федерализация）的新观点转换”。[①]而这种“统一教育空间”应满足地区需求，解决儿童和青年学习、发展和社会化问题。

邦达列夫斯卡娅（Е.В.Бондаревская）认为：“统一教育空间是区域性社会群体所需要的教育性结构，是它们在文化长期和短期发展中的自决权，为所有人提供高质量的教育创造条件。”[②]

在俄罗斯形成国家统一的教育空间，不仅要求联邦各主体间政治机制的切实有效性和相互联系性，还要求提供与之相符的法律基础和条件，其中包括《人权宣言》《国际儿童权利公约》《俄罗斯联邦教育法》《俄罗斯联邦国民教育要义》《俄罗斯联邦教育发展纲要》等。在此，教育政策的基本任务就在于建立统一的教育空间，在其框架下保障儿童权益、市政或地区的教育发展，在不断变化的社会文化条件下促使个性自我发展思想的实现。在教育发展方案基础上，要合理地建立不变的价值论导向，在城市或地区教育空间框架下形成横向和纵向关联的治理机制。统一教育空间成功与否，在很大程度上既取决于学校教师、教育机构领导、家长、国家和市政当局代表的教育心理学文化水平，同时也取决于教育管理部门从专权向一体的管理模式的转变效果。这样一来，统一教育空间不仅可以作为俄罗斯青少年学习、发展的环境，而且也成为行政区域内社会文化发展的基本因素。

“统一教育空间”的概念并不适用于描述苏联的教育状况。这是由于苏联教育空间既是统一的，同时其所有部分又是相同的，所有地区的学校都使用同一种教科书、教学计划和大纲。苏联的解体引起了教育“体系自我分解”，其后果是失去了已有教育空间的基本特性。对于当今俄罗斯的“统一教育空间”这一概念，巴岑（В.Бацын）反对在这样的语境中使用“统一”（единое）一词。正如他在《俄罗斯教育空间：统一的还是完整的？》一文中指出，在俄语中“统一”一词在语义上带有这样的含义：内在地含有单级统治下的“个人”“中心”，表示内在统治霸权，带有某种与“最高级要素”

① 别勒古洛夫 А. Ю. 俄罗斯民族地区教育体系的形成与发展［M］. 阿依提拉·阿布都热依木，译 . 北京：社会科学文献出版社，2014：140.

② 别勒古洛夫 А. Ю. 俄罗斯民族地区教育体系的形成与发展［M］. 阿依提拉·阿布都热依木，译 . 北京：社会科学文献出版社，2014：141.

相关的等级意味。据此巴岑认为，在教育空间中使用“完整”（целостное）一词更为准确。[①]

但别勒古洛夫（А.Ю.Белогуров）认为，“统一”的概念更准确地反映并适用于当今俄罗斯的教育情况，这是因为尽管地区政策有自己的特殊性，但民族地区教育体系是在联邦政治权力界限内发展起来的。所以，“统一”这一术语反映了俄罗斯民族地区教育体系在联邦教育政策环境中发展的共同进化因素。因此，“统一”一词并不带有“形式划一”的意思。[②]

特别需要指出的是，建立统一教育空间是俄罗斯联邦教育发展的结果。俄罗斯联邦空间内各主体的形式和内容一体化是建立在以下原则之上的：

（1）在教育政策领域，协调全俄与各地区利益。

（2）实现联邦和地区教育管理上的纵向沟通。

（3）加强联邦各主体教育体系间的横向联系。

但是，建立理念和组织上完善、稳定的地区教育体系仍是激励俄罗斯联邦教育发展进程非常重要的措施。同时，还应该指出，实行教育联邦制和教育民主化，是教育转向地区社会化发展的基础。

毋庸置疑，教育体系的地方分权有着更深刻的根源，它与地区本身社会经济独立自主的总定位息息相关。因此，教育的地区化是以众多因素为条件的社会进程，其中最重要的因素是追求在教育内容上体现地区历史文化、民族种族、地理民主和自然生态方面的特性。这样的目标为在教育内容中引入民族地区成分创造了必要条件。

二、教育内容中引入民族地区成分

在俄罗斯现代普通教育内容中，民族地区成分的构成要素包括社会历史、民族学理论和文化学等。社会历史要求关注地区的历史、地理以及社会发展问题。不过，在教学大纲中并没有关于民族学方面的课程，尽管正是这

---

① 别勒古洛夫 А．Ю．俄罗斯民族地区教育体系的形成与发展［M］．阿依提拉·阿布都热依木，译．北京：社会科学文献出版社，2014：143．

② 同上。

方面的内容在帮助学生了解民族起源、认识本民族历史和表现民族进化规律性方面起着重要作用。在民族地区成分的组织上，具有文化学方面特征的课程仅简化为母语、民族传统和风俗学习。也就是说，文化作为完整的教育却以不完整的形式呈现出来。

俄罗斯的现代学校，特别是民族共和国的现代学校提出了在实践中实现教育的民族地区成分之任务。教育中的民族地区成分反映该地区的文化独特性、民族传统、风俗和语言。与此同时，当代教育内容的民族地区成分的实现框架，在共和国和市政层面上有显著的少数民族脱离国家的现象，这种脱离现象的特征是把注意力集中在本民族群体的社会文化价值上，却忽略了和其他民族文化教育的协同作用。

俄罗斯国家教育改革的基本任务与国家教育标准的制定相关联。研究表明，俄罗斯联邦各民族地区，对于教育内容民族地区成分的实质及其在教育实践中的实施途径缺乏共识。其具体表现是，在课程中剥离出不同的教学时间，对每门教学科目定义的特点不同，等等。①

俄罗斯联邦各共和国对教育内容民族成分问题解决方式的不同，对形成统一教育空间是不利的，只会导致民族地区教育体系的分裂，导致民族地区对俄语的注意力减弱。而俄语既是国家语言，又是俄罗斯联邦各族人民交流的工具。

在当今条件下，在教育内容中引入民族地区成分是实现对民族语言保护和发展的重要举措。这无疑显示了民族地区高于全俄的优先权。俄罗斯联邦各主体内的双语制问题，决定了寻求教育语言平衡战略的必要性。

发展俄罗斯联邦统一教育空间是重要的教育任务，它的实施在很大程度上要依附于俄罗斯国家体制和全国范围内统一的经济和法律空间。与此同时，该任务带有多方面的特征，它的解决需要在所有社会制度方面加大力度，特别是教育方面。因此，在《俄罗斯联邦教育法》实施细则中规定，考虑到民族文化和地区文化传统的利益，个体在民族文化自我认同上的需要，

① 别勒古洛夫 А．Ю．俄罗斯民族地区教育体系的形成与发展［M］．阿依提拉·阿布都热依木，译．北京：社会科学文献出版社，2014：152.

以及其他文化承载者进行平等对话的需要，教育的民族地区成分的采用程度应该得到保证。

在俄罗斯民族多样、教育机构众多和种类复杂的条件下，民族地区成分的加入能够促进俄罗斯统一文化教育空间的形成和维护。俄罗斯教育的基本任务，在于推动多元民族社会向“团结一切力量并形成民族之上的完整性”发展。[①]

第三节　统一教育空间下的民族地区教育体系一体化

19世纪初俄国出现了一个有意思的历史现象。1803年11月，在沙俄的领土上创立了第一个行政学区。在学区框架下，有针对性的教育政策开始制定，各种隶属层次的教学机构陆续成立，并发展成为俄罗斯统一的教育体制。

2000年前后，俄罗斯联邦已具备建立联邦区的条件。这些条件主要包括：加强“垂直”政权权力思想的实现，联邦区应是联邦中心和地区政权之间的连接纽带；“横向”发展各地区管辖和社会经济类似指标统一的必要性。俄罗斯联邦总统令提出，建设联邦区的实质“并不是重新构建管辖边界，而是要提高政权的有效性”[②]。

教育与巩固社会稳定、维护俄罗斯统一的社会文化空间紧密相连，与建立开放的、多样的、富有精神文化因素的、对话式的、包容的、保障真实的公民社会的完整体系紧密相连。俄罗斯联邦国家教育改革委员会主席团工作组的报告指出，在当今条件下，国家实施全面的教育政策是非常必要的，

---

① 别勒古洛夫 А. Ю. 俄罗斯民族地区教育体系的形成与发展 [M]. 阿依提拉·阿布都热依木，译 . 北京：社会科学文献出版社，2014：155.

② 别勒古洛夫 А. Ю. 俄罗斯民族地区教育体系的形成与发展 [M]. 阿依提拉·阿布都热依木，译 . 北京：社会科学文献出版社，2014：167.

该政策与实现“教育的高质量与个人、社会和国家积极面向未来的需求相一致”[①]这一目标紧密相关。

俄罗斯的区域主义显露了大量的社会文化问题，其一就是在联邦主体地区利益高于全俄利益的地方，难以实施国家教育体制。所以，俄罗斯联邦教育政策的主要战略目的是巩固现代教育的一体化基础。

当今，俄罗斯的每一个地区都在根据其自身社会经济、民族文化、宗教特征实施独一无二的教育。沿着这独一无二的、包含自身特征的方向发展，许多地区不论在“横向”还是“纵向”层面上必然会走向自主，这又造就了民族地区教育发展的独特性。毫无疑问，联邦区的建立是形成和发展稳定国家领土体制的最重要一步，该体制对发展民族地区教育有显著促进作用。在现阶段，重要的是甄选出发挥该作用的可行性方案，树立发展目标，反思教育发展的历史轨迹等。

在各联邦主体，尤其是在南部联邦区，众多社会政治经济问题，以及民族政治紧张情况的解决，都与联邦间关系的完善紧密相关。今天，对于划入南部联邦区的主体来说，建立统一社会经济空间战略可以依靠下列方式：

——以形成统一的权力空间为方向。该方向与南部联邦区主体在议会内部一贯的主张一致。2001年4月，南部俄罗斯议会联合会（Южно-Российская Параментская Асооциация，简称ЮРПА）成立，其任务是研究推动整个民族区政治、经济和社会改革协同一致的路径。

——根据联邦法律文件和《俄罗斯联邦宪法》的基本要求进行地区立法。

——保障《联邦社会经济发展纲要（俄罗斯南部）》（2001—2006年）的实施。该纲要提出建立南部联邦区统一经济空间的目标，并涉及政治组织、经济法律、社会文化和科技等整个综合体。该纲要奠定了国家间、联邦内部、各联邦主体间不同层面上实施各种方案的机制基础。

20世纪90年代，在确定国家教育发展战略的过程中，俄罗斯社会的“民

① 别勒古洛夫 A. Ю. 俄罗斯民族地区教育体系的形成与发展［M］. 阿依提拉·阿布都热依木，译. 北京：社会科学文献出版社，2014：168.

族”问题完全凸显出来。对于维护统一的国家机构、社会政治和经济空间来说，统一的教育政策对发展所有民族地区的教育和恢复俄罗斯教育体制中的“垂直权力”都是非常必要的。

根据俄罗斯联邦教育部地区教育政策管理局的数据，俄罗斯有近4 000个市政府教育管理机关在发挥其职能，其中，这些地区的立法正在或多或少地接受联邦中央的管理，这也引起了地区教育管理机构的变形。其结果是，仅有69个俄罗斯联邦主体设有统一的教育管理局。①这种状况能解释俄罗斯联邦机关类型的多样性。这种多样性加剧了某些联邦主体教育管理协作、管理机关与联邦教育政策中心之间相互协调的难度。有学者认为，在俄罗斯没有建立必要的“教育的垂直管理模式”，就不可能完全解决教育的现代化任务的问题。②

俄罗斯近些年的发展趋势符合建立民主法治国家，确立俄罗斯在国际社会上作为在教育、文化、艺术、科学、高科技及经济领域强国地位的思想。在此情况下，为实现俄罗斯教育现代化的构想，有专家呼吁“恢复国家对教育管理的必要性”。恢复国家对教育的管理，意味着联邦中央与地区在财政责任分工上更突出中央对普通教育预算拨款的积极作用。针对中央和地区在教育领域权责划分情况，俄罗斯联邦对多部法律进行了调整，其中最为重要的是《俄罗斯联邦教育法》。1992年通过的《俄罗斯联邦教育法》着重关注了建设现代俄罗斯教育空间的两个重要的原则性立场。第一个立场是巩固每一个联邦主体有结合本民族文化特征、地区地理和历史、语言、文学构建教育内容的权力。第二个立场是必须研究制定初等普通教育、基础普通教育和完全中等普通教育的国家教育标准。无论怎样，将民族地区成分引入教育内容，是完全符合教育民主化原则的，展现了俄罗斯国家拒绝教育管理垄断并采取“权力垂直”的多主体模式的决心。

应该指出，后苏联时期建设俄罗斯公民社会，引发了联邦权力与地区

① 其实，在15个地区设置了独立的初等职业教育管理局，在11个地区划分了独立管理初等职业教育，并担任监督中等及高等职业教育科技职责的教育管理局。

② 别勒古洛夫 A. Ю. 俄罗斯民族地区教育体系的形成与发展［M］. 阿依提拉·阿布都热依木，译. 北京：社会科学文献出版社，2014：170.

权力间的冲突，削弱了行政管辖单位的控制权。随着七大联邦区的建立，与行政管辖单位联合的许多地区在社会政治条件上有了一些改善。在七个联邦区建立学区，被认为是合理的举措。有学者指出，根据民族地区教育一体化原则建立的教育体系，应该能够促进新的垂直管理体系的构建，推动形成新的教育政策。如茹拉科夫斯基（В.М.Жураковский）和库拉科夫（Л.П.Кураков）所指出的，每一个联邦区可以依托学区内某一所大学来解决周边文化建设的问题。这些教育机构可以与俄罗斯联邦教育部一起，为本联邦区就加强俄罗斯联邦教育空间建设而研究政策。①

两个世纪以前，俄国便以独特的方式解决了教育管理问题。1803年，俄国的教育空间按大学数量被划分为六个学区：莫斯科、维里诺、德尔泊、喀山、彼得堡、哈尔科夫。学区作为国家管理教育的地区结构，管理几个省及其辖区内所有学校。在这种情况下，不论是堂区学校、县立学校，还是文科中学，都归大学管辖。后来学区数量增加至12个，并一直延存至1917年。必须承认的是，作为维护国家教育空间和巩固教育垂直政权的机制，学区无论在俄罗斯普通教育，还是在高等教育的发展中都做出了贡献。

毫无疑问，俄罗斯不可能再现19世纪的学区模式，所以完成现代教育重任的希望，被人们寄托在各地区的大学综合体上。建立大学综合体成为中等、高等职业师范教育的重要方向。此方向曾被优先列入俄罗斯教育科学院南部分所的研究计划。

罗斯托夫国立师范大学、伏尔加格勒国立师范大学、阿尔马维尔国立师范大学是南部联邦区实行师范继续教育体系的实验区。在教育实验框架下，教学计划和教学大纲的修订、师范职业教育质量评价标准的研制，以及大学生工作的革新性方式都获得了批准。2001年，为了支持在南部联邦区建立大学综合体，俄罗斯联邦教育部为“高校作为地区发展科技潜能的最重要国家资源”和“教育现代化的科学、教学法和信息保障”两个课题划拨专款。

在俄罗斯，不少地区结合其社会经济、地区、人口特征以及劳动力市场

① 别勒古洛夫 А. Ю. 俄罗斯民族地区教育体系的形成与发展［M］. 阿依提拉·阿布都热依木，译．北京：社会科学文献出版社，2014：172.

需求、物质技术基础等，形成了形式多样、内容丰富的大学区和教育综合体，积累了丰富的教育经验。目前，国立莫尔多瓦奥加廖夫大学的地区学区、卡巴尔达－巴尔卡尔国立大学的大学综合体、国立诺夫哥罗德雅罗斯拉夫·穆德雷大学的大学综合体、奥伦堡国立大学的奥伦堡国家学区、喀山国立科技大学的大学综合体等，都是很有发展前景的教育模式。

建立大学区和教育综合体可以有以下几个主要方向：

——与各种教育机构和组织合作，建立具有实施继续教育思想所必需的教育条件的小型综合体。“教育路线”（образовательный маршрут）的发展应遍及所有教育层面，即从学前教育机构到大学后职业教育。目前这类小型综合体所从事的工作主要是建立青年人的大学前培养中心。

——在共和国领域及其边界外围，建立分支机构、教学咨询站和大学的科教中心，保障在较偏远的城市和农村中最大限度地实现教育的普及。①

——拓宽大学的专业目录和教育服务范围，为培养地区干部所必需的业务技能调整院系的设立。

——为地区社会经济不同发展方向的科研提供必要的物质技术基础。作为大学的分支机构，科研机构被赋予承担现代科学研究、满足地区生产发展的职责。因此，大学应该成为教学、研究和创新的综合体。在该综合体中，其主要任务应是发展科学并将科学成果应用到实践中，这是向创新型经济转变和建设“国家创新体制”的必然结果。

在学区框架下的高等院校整合能够保障不同教育层次间，尤其是中等职业教学机构与高校间的高度连接性，推动教育内容中民族地区成分的地区教育标准的研制。

在以上推荐的模式下发展联邦学区，便有可能在俄罗斯建立起用于研究各科目教育内容中民族地区成分的国家教育标准的教学法结构，并根据整个

① 拥有多年发展教育综合体经验的楚瓦什国立大学在实施该方案时，提出了有趣的模式。如库拉科夫（Л. Кураков）和耶夫列莫夫（Л. Ефремов）所讲，正处于发展中的楚瓦什国立大学综合体，能够提升从该共和国农村地区和小城镇中走出来的中学应届毕业生升学和留学的竞争力。在1990年大学一年级学生中，该区学生所占的比例是19%，而到2000—2002年，这一比例已接近50%。

地区的历史与文化课程创作课本、教学参考手册。其中，对于覆盖了8个共和国、3个州和2个边疆区的南部联邦区来说，研究并实践涉及北高加索民族历史与文化的课程是符合发展目标的。

俄罗斯试图对各民族地区内各教育机构的课程内容进行“修正”，使其教育内容满足统一需求。根据现代的俄罗斯文化规范和要求构建教育内容，要预防各教育机构的“地区封闭性，其中最主要的就是高等职业学校的封闭性”。教育标准化成为俄罗斯维护统一教育空间的最重要机制之一。随着国家教育标准的研制，实施国家统一考试的基础已经建立起来。

自2001年俄罗斯试点实行国家统一考试以来，虽然社会各界对此褒贬不一，但从总的实施结果来看，利远远大于弊，达到了服务于俄罗斯社会教育空间一体化的目的。这对增加教育的社会透明度，“跟踪”各地区有天赋的年轻人和天才儿童极为重要。2002年，皮亚季戈尔斯克国立语言大学与俄罗斯联邦教育部签订了“关于建立地区考试中心”的协议。有专家认为，国家统一考试在确定教育的客观水平上迈出了重要的一步。[①]这些观点得到了绝大部分现代学校校长的认可。在保证“自然淘汰”的过程中，使得重新修改非国立高校和国立高校重复设置的专业目录成为可能。确实，在学区的教育空间框架下，协调高校间有关地区发展现实问题的科研项目，根据社会经济领域的实际需求解决毕业生就业安置问题，建立继续职业教育可调整体系都是有可能的。

---

① 别勒古洛夫 A. Ю. 俄罗斯民族地区教育体系的形成与发展［M］. 阿依提拉·阿布都热依木，译. 北京：社会科学文献出版社，2014：177.

第八章　俄罗斯教育治理的阶段特征与发展趋势

起源于沙皇俄国时期、强化于苏联时期的高度集权的教育管理体制一直延续至20世纪90年代初。苏联解体后政治体制的“民主化”、计划经济体制的瓦解和意识形态的多元化，从根本上销蚀了高度集权的教育管理体制赖以存在的政治、经济和思想基础。民主的发展使以“教育分权”彰显的“治理特征”在俄罗斯得以初现。

第一节　俄罗斯教育治理演变的两个阶段

从1991年至今的近三十年时间里，俄罗斯教育治理的演变大致经历了以政治改革作为导引的过度教育分权和实行国家领导下的教育分权两个阶段。

一、以政治改革作为导引的过度教育分权阶段

叶利钦时代，整个社会发生了全方位转型。在政治体制上，从高度集权的政治模式向西方民主化模式转变；在经济体制上，从高度集中的指令性计划经济体制向现代市场经济体制转变；在意识形态领域，从单一的共产主义意识形态向多元化的意识形态转变。这些重大的社会转型，深刻影响着俄罗斯教育。在漫长的历史沿革中，俄罗斯教育已经形成了被动适应外在变化的机制，缺乏主动适应社会形势发展的内在机制。因而，在外部环境发生根本性变革的情况下，教育陷入茫然不知所措的尴尬境地。为了摆脱这种困境，一场由政府主导，由政治经济改革作为先导的教育改革轰轰烈烈地展开了。

在国民教育发展战略上，叶利钦继承了苏联时期重教、兴教的传统。1991年7月，叶利钦当选俄罗斯总统后颁布的第1号总统令就是《关于俄罗斯苏维埃社会主义联邦共和国教育发展的紧急措施》，强调必须确保教育领域发展的优先地位。5个月后苏联解体，叶利钦就任俄罗斯联邦总统，签署了俄罗斯独立后的第一部教育基本法——《俄罗斯联邦教育法》，其中，“俄罗斯联邦宣布，教育领域为优先发展领域”的表述，明确表明了俄罗斯发展教育的国家立场。

跟政治、经济领域的改革一样，俄罗斯教育领域改革的主旨是彻底改变旧教育，重建新体系。然而，教育改革奉行的原则是对“旧教育”的完全否定。一方面，苏联时期的教育原型成为俄罗斯独立之初否定和摧毁的目标。苏联时期令人引以为豪的教育模式和教育标准被普遍怀疑、非议和破坏。另一方面，在政府强制力量下，对西方的学习借鉴则迅速成为“一边倒”的局面，在新自由主义盛行的阶段，追求“民主”“自由”“市场”等理念迅速抢占了俄罗斯教育思想领域的真空，使得“自由化”“解国家化”思潮成为主导俄罗斯教育改革政策的主要力量。因此，这一时期的教育管理体制呈现出与旧有模式截然不同的特征，主要强调分权，基本反映了俄罗斯独立之初政治领域的变革进程。教育地方化和学校自治化趋势明显，“教育管理的民主性质、国家—社会性质、教育机构自治”成为《俄罗斯联邦教育法》第一章强调的国家教育政策的基本原则之一。该法对联邦、联邦主体和地方在教育领域的权限作了较为细致的划分，同时对学校的自主权做出了规定。但是，由于改革进程中未设计出一种相对平衡的权力运行机制，使得俄罗斯教育一度陷入地方过度分权、市场机制过分进入、学校生存压力剧增的矫枉过正的困境，俄罗斯教育改革整体上是退步大于进步。

首先，教育投入大大减少。尽管政府始终强调“教育是国家优先发展的事项”，然而，由于政府财政状况的捉襟见肘，加上政府对非生产领域的国民教育采取了“剩余财政拨款”原则，导致这一时期政府对教育的投入大幅缩减。1970年，教育投入占国民生产总值的7%；而在1994年，教育投入占国民生产总值的比例仅为3.4%，减少了一半以上。[①]教育投入锐减是诱发教育倒退的根本原因，很多问题由此产生。

其次，教育失序严重。这一时期的教育模式是以政治改革作为先导、经济改革作为前提的“突然变异”，缺乏对新环境自发的适应与回应，导致教育混乱和教育冲突层出不穷。[②]由于整个国家的精力集中于反危机的过程，很多法律法规根本无法真正落实，加上很多法律法规“水土不服”，经常陷入自相矛盾和朝令夕改的境地。教育法令失衡、失范成为20世纪90年代俄罗斯教育发展的明显特征。[③]

最后，教育质量骤然下降。教育管理的分权化和自治化，教育机构类型的多样化，教育非国有化进程的加速，以及教育内容和教育手段的更新等方面的改革与发展，彻底打破了原来高度集中、高度划一、高度确定性的教育规范，已有的规章、条例和计划无法检验和把握教育质量及办学水平。办学主体多样化之后，全社会，从国家机构、社会团体到国内外公民人人都可以办学，大量非国立学校以及国立学校分校的开办，使办学水平参差不齐，培养规格纷繁多样，教学条件悬殊，师资力量强弱不均等问题日益凸显，这些都直接或间接地威胁到素来声誉良好的俄罗斯教育的质量，因此，严格规范教育行政管理，完善教育督导与评价机制，建立健全教育教学质量监控体系等，成为俄罗斯教育有序健康发展亟待完成的任务。

二、实行国家领导下的教育分权阶段

普京时代，在政治上大力强化国家政权，努力实现从叶利钦时代的“自由民主”向“可控民主”体制过渡；在经济上加速追赶，努力实现从“新自由主义”的自由市场经济转型为强化国家作用的社会市场经济的策略；在意识形态领域，主张从俄罗斯历史文化传统和现实社会中寻找当今的“俄罗斯新思想”。在富民强国的战略目标下，俄罗斯政府进一步强调教育对国家发

---

① 姜晓燕．俄罗斯教育 20 年：变革与得失［J］. 比较教育研究，2010（10）：16-21.

② 刘淑华．俄罗斯教育战略研究［M］. 杭州：浙江教育出版社，2014：275.

③ 肖甦．评俄罗斯三位总统的教育政策与改革特征［J］. 比较教育研究，2011（10）：22-27.

展的重要意义。上任伊始，普京就立法先行，推动制定一系列教育法律法规以保障教育的发展。2000年4月《俄罗斯联邦教育发展纲要》中指出："使教育系统的发展有利于造就和谐发展的、有社会积极性的、有创造性的个人，并使教育系统作为经济和社会进步的因素之一，在俄罗斯联邦所宣布的教育优先的基础上获得发展。"①也就是说，教育肩负着促进个人进步和国家发展的双重任务。2000年10月，俄罗斯联邦政府批准的《俄罗斯联邦国民教育要义》进一步强调："教育要超前发展，负有把俄罗斯从危机中拯救出来的使命，保证全民族有美好的未来，保证每个家庭和每个俄罗斯公民过上应有水平的生活。"②这一奠基性的国家文件，进一步落实了教育在国家发展中的优先地位，教育被赋予了帮助俄罗斯扭转危机的使命，同时规定了教育发展的战略和基本方针，确定了教育和教学的目的及其实现途径。2001年底，俄罗斯联邦政府又通过了《2010年前俄罗斯教育现代化构想》这一纲领性文件，对教育在社会发展中的作用做出了进一步的描述："现阶段俄罗斯教育的作用是，促进俄罗斯向民主化和法制化国家、向市场经济转换，克服国家发展落后于世界经济和社会发展趋势的危险。在俄罗斯发展的现阶段，教育与科学有着割不断的有机联系，两者应一同成为促进经济增长、提高国民经济竞争力的推动力量。正因为如此，教育是保障国家安全、国家繁荣和公民福祉的最重要因素之一。教育的潜力应该被完全激发出来，用于团结整个社会，保持统一的社会文化空间，克服民族关系紧张和社会冲突，实现个体权益和民族文化平等、不同信仰平等，帮助消除社会不平等。"③为此，这一时期的俄罗斯启动了"作为全民族任务"的教育现代化进程，其目标是"建立保证教育系统稳定发展的机制"，所推行的教育治理策略核心是实施国家领导下的教育分权。

---

① 肖甦，王义高．俄罗斯转型时期教育法规文献汇编［M］．北京：人民教育出版社，2009：323.

② 肖甦，王义高．俄罗斯转型时期教育法规文献汇编［M］．北京：人民教育出版社，2009：362.

③ 肖甦，王义高．俄罗斯转型时期教育法规文献汇编［M］．北京：人民教育出版社，2009：508-509.

国家领导下的教育分权是对叶利钦时代的“教育分权”思想的扬弃，它继承了叶利钦“教育分权”思想的核心，但又有所区别，这一时期强调国家肩负教育领域的权力和责任，对前一阶段的矫枉过正进行了“修正”。这一时期非常重要的一个教育政策是极力改变20世纪90年代国家大规模退出教育领域的状况。2000年的《俄罗斯联邦国民教育要义》第三部分对“国家在教育领域的任务”做出了详细规定：国家在保障并发展俄罗斯统一教育空间、确保公民获得免费优质教育的宪法权利和平等机会等43项任务上负有使命。这43项任务涉及教育的规模、结构、公平、质量、效益等多个宏观教育领域。当然，国家力量的增强，并不是说要回归苏联时期高度集权的管理体制。教育管理模式的现代化被认为是教育系统现代化的最重要任务和最优先发展方向之一。中央政府向地方政府、政府向学校、国家向社会分权的基本方向不变，地方政府、学校和社会参与教育管理的权力得到了保障。这一时期强调所有教育利益相关者参与管理过程，并保持他们之间的权责对等。总之，区别于20世纪过度分权，普京政府建立了国家控制下的教育分权模式，统一的教育空间得以重新构建。而这种分权模式的运作过程可从“增加教育投入”“促进教育公平”“提高教育质量”三大治理目标的实现中窥见一斑。

（一）增加教育投入

《2010年前俄罗斯教育现代化构想》指出：“在国家发展的转型时期，国家应该解决迫在眉睫的社会问题和经济问题，不能依靠节省对普通教育和职业教育学校的投入，而是要靠学校的超前发展，将教育视为对国家未来的投资，所有与教育利益相关的个人、组织、企业、社会和国家都要分担教育资金的投入。”[①]俄罗斯联邦政府保证教育财政预算的优先性，逐年提高预算资金的份额，特别是增加高校用于购买设备、提高学校的信息化水平和教师技能水平以及基础设施建设等方面的专项拨款。在国家财政预算缺口仍然较大的情况下，促使联邦主体、地区等地方政府承担一部分财政经费，明确各级政府财政预算之间的关系，鼓励高等学校自筹经费，向学生收取学费，提

① 肖甦，王义高．俄罗斯转型时期教育法规文献汇编［M］．北京：人民教育出版社，2009：509.

供有偿教育服务，积极吸引企业、组织、团体和个人对教育的投资。中央政府、地方政府、学生家长、学校和社会共同筹集教育经费的格局初步形成。

（二）促进教育公平

“国家保证教育的普及性和真正的教育机会平等”是俄罗斯教育现代化进程中的另外一个重要任务。在这方面，国家的目标是保障国家教育标准范围内免费的（完全）中等普通教育和竞争基础上的高等教育，保障公民不论家庭收入、居住地、民族和健康状况如何在接受高质量教育方面机会均等。

首先，政府制定教育政策，调动社会各方面力量保障教育公平的实现。2004年，俄罗斯联邦政府制定了《俄罗斯联邦儿童培养国家纲要》和《2006—2010年“俄罗斯青年”专项计划》，俄罗斯联邦教育与科学部和国会工作小组签署了一系列关于国家青年政策的文件，其中包括《俄罗斯联邦国家青年政策构想》《资助青年劳动和就业计划》《保障青年家庭住房计划》《俄罗斯的大学生计划》《新时代俄罗斯的大学生计划》等。

其次，建立各种机构和组织，保障特殊群体利益的实现。例如，建立教育中心、教育综合体、儿童之家、教学教养机构，为流浪儿、孤儿、无人照管儿童提供受教育机会；建立专门化的青少年咨询中心，帮助青少年解决心理问题和医疗问题；建立残疾青年职业教育中心，帮助残疾人就业；设立专项津贴资助贫困大学生，实施国家教育贷款制度，增加教育助学金金额；在农村地区启动“发展统一的教育信息环境”和“电子俄罗斯”联邦专项计划，保证农村地区教学设施的优先信息化等。

（三）提高教育质量

针对20世纪90年代教育质量骤然下降的现实，普京政府开始了一场全面提高教育质量的保卫战，采取了一系列重要举措，如制定新的普通教育和高等教育国家教育标准，完善教育质量监控体系；更新普通教育的教育内容，使用新的教科书；调整职业教育学科结构，更新专业目录；适当延长普通教育学制，减轻学生负担；为学生铺设个性化教育轨道；实施全国统一考试，统一中小学教育质量的评价方式和大学的招生方式；加强教师队伍重建，提高教师社会地位，着手制定新的行业薪酬制度，改善教师物质待遇，完善教师技能鉴定方式等。2005年9月2日，普京宣布实施教育、卫生、住宅和农业四项国家优先发展工程。该工程以加快俄罗斯教育现代化，使其完全适应不断变化的社会需求和社会经济发展状况为目标，主要从两个方面来提高教育质量：一是选拔并优先支持对提高教育质量具有导引作用的机构，二是大规模推行新的管理机制和理念。通过一系列的改革举措和治理手段，俄罗斯教育质量大幅下滑的局面得以扭转。

第二节　教育治理现代化的路向选择

展望俄罗斯教育治理现代化的路向选择，可以从2012年12月颁布的新《俄罗斯联邦教育法》（以下简称新《教育法》）草案中得到启示（2013年初提交俄罗斯国家杜马，正式进入实施阶段）。该部法律涉及所有的教育层次，延续最近十多年来教育改革的成果，同时又根据未来新的形势做出合理调整，引导俄罗斯教育在未来较长一段时间发展，正如俄罗斯联邦教育与科学部部长里瓦诺夫所说："这一部法律不仅能够记录现有教育系统的当前状态，同时应该给予正在读书和工作的人必要的社会保障，也就是说，当然不会降低保障水平。而最重要的是，它将为教育未来15—20年的发展创造条件。"[①]这部新法律制定的主要目的是为了完善俄罗斯教育领域的立法，根据国家、社会和个人的要求和创新经济发展的需要，为教育系统的革新和发展创造法律条件；扩大公民受教育机会；教育立法的全面现代化；通过调整教育领域出现的各种新关系，维护教育立法框架的稳定性和连续性，保障教育系统的良性运行和发展。[②]

一、关于教育体系的管理

新《教育法》第3条第2款规定："在保证国家教育政策统一性的前提

① 刘淑华．俄罗斯教育战略研究［M］．杭州：浙江教育出版社，2014：304．

② 王森．俄罗斯联邦《教育法》中教育法律规范的新变化［J］．外国中小学教育，2013（12）：1-7．

下，俄罗斯联邦政府每年应向俄罗斯联邦会议提交国家教育政策实施报告，并在俄罗斯联邦政府官网上予以发布。”而在旧《教育法》中则没有责成俄罗斯联邦政府每年向俄罗斯联邦会议提交国家教育政策实施报告的相关条文。新的立法强化了国家对教育发展的统筹、监督和调节力度，增加了教育政策的透明度。

新《教育法》第8条“俄联邦主体国家教育权力机关的权能”第1款第6项规定：“在私立学前教育组织中接受学前教育，或在按照国家认可的基础普通教育大纲开展教学教育活动的私立普通教育组织中接受学前、初等、基础和中等普通教育，俄罗斯联邦主体国家教育权力机关负责通过向上述教育组织提供补贴的方式给予财政支持，其中包括劳资、教科书、教参、教具和玩具等的费用（建筑物维护和公共事业支出除外）。”在旧《教育法》第5条“国家对俄罗斯联邦公民教育权利的保障”第3款中规定：“凡在国家认可的非国立自费教育机构就学的公民，如果这些教育机构实施普通教育大纲和职业教育大纲，其学费由国家根据相应类型的国立和相应类型的地方教育机构规定的学费标准予以补偿。”在新《教育法》中将国立和私立教育组织平等获得预算资金拨款的原则作为法律文本编制的一个基本原则，明显加大了国家对私立学前教育和普通教育的财政支持力度。

新《教育法》第20条“教育实验与创新活动”第2款规定：“面向教育新技术和教育资源的开发、验证和实施的实验活动，应在俄罗斯联邦政府规定的条件、程序和实验形式下组织实施。”在旧《教育法》中则缺少与“教育实验与创新活动”相关的条款。新的立法体现了国家对教育创新活动的重视和导向作用。

二、关于教育过程的组织

新《教育法》第12条“教育大纲”第9—11款规定：示范基础教育大纲的研制应在联邦国家教育标准的基础上考虑其难度和方向；经鉴定通过，示范基础教育大纲可列入国家信息系统——示范基础教育大纲清单。示范基础教育大纲的研制、鉴定和示范基础教育大纲清单的登记程序等皆由负责国家教育政策研制和法律规范制定的联邦行政权力机关予以确定。旧《教育法》

缺少有关示范教育大纲制定和批准的详细规定的条款。

新《教育法》第15条“实现教育大纲要求的网络形式”和第16条“利用电化教学和远程教学技术实现教育大纲要求”涉及利用网络、电化教学和远程教学技术的问题。旧《教育法》因颁布时间较早，网络技术发展尚未引起重视，缺少利用网络、电化教学和远程教学技术实现教育大纲的条款。新的立法反映出国家对利用现代教育技术的政策鼓励。

为保障教育评估的真实性和客观性以及与国际接轨，新《教育法》第95条“教育质量的独立评估”对教育质量评估独立机构的运作作了规定，提出“教育质量独立评估应在国际教育比较研究的框架内实施”。标志着俄罗斯教育评估向法制化和国际化迈出了重要的一步。

三、关于教育组织的法律地位

新《教育法》第2条“联邦教育法中使用的基本概念”将旧《教育法》中的“教育机构”改称为“教育组织”，并将其定义为：“教育组织为非营利性组织，在许可证规定的范围内实施教学活动”（第18项）；“开展教学的组织是在许可证规定的范围内实施教学活动的法人”（第19项）。

新《教育法》第30条“包含调整教育法律关系规范的地方性法规”对教育组织使用地方性法规的程序和内容作了要求。其中，该条第3款规定：“在使用涉及学生和教育工作者权利的地方性法规时，应考虑能够代表学生的组织学生会和家长委员会的意见，同时也应考虑保障教育工作者权利的劳动法的规定。”旧《教育法》第12条中国立、地方教育机构的工作由经俄罗斯联邦政府批准的相应类型的教育机构的标准条例和根据该条例制定的章程加以调节的规定不具体，不具有调节的意义。

新《教育法》第26条“教育组织的管理”详细规定了教育机构中管理机关教育委员会、监督委员会、管理委员会、监察委员会等的建立。这些机构的结构、形成程序、任期和权限范围由教育组织的章程规定（第5款）。为了考虑学生、未成年学生家长（法定监护人）和教育工作者对组织管理的问题的意见，在使用地方性法规时，可以创建学生委员会、未成年学生家长（法定监护人）委员会或其他组织，同样，学生和教育工作者工会也应发挥作用（第6款）。旧《教育法》中的个别条款包含了一些教育机构自治机关的内容，如第35条“国立和地方教育机构的管理”第2款提到：“教育机构自治形式为教育机构委员会、监督委员会、全体大会、教育委员会等形式。教育机构自治机关的选举程序和职权范围由教育机构章程规定。”对比可见，新的立法可操作性更强。

新《教育法》第22条“教育组织的设立、变更和终止”第11款规定：“俄罗斯联邦行政权力机关、俄罗斯联邦主体行政权力机关或地方自治机关有关变更和终止国立、市立教育组织的决定，在委员会对该决定的影响评估做出正面结论的情况下，准予施行。”第12款规定：“未经农村居民点居民的同意，不允许变更和终止位于农村居民区的市立普通教育组织。”旧《教育法》第34条第5款“教育机构的变更和终止”，同样包含“农村学前教育机构或普通教育机构的终止，必须经该教育机构所服务的居民点居民委员会同意方可进行”的条款。新《教育法》强化了对教育力量薄弱的农村地区义务教育学校的保护。

四、关于学生和家长（或法定监护人）的法律地位

新《教育法》第34条“学生的基本权利及社会的支持和激励措施”详细阐明了学生的权利和保障，指出了社会支持和奖励的措施。同时也在第43条“学生的责任和义务”第1款第1项明确规定了学生的基本责任和义务：“学生必须认真掌握教学大纲，完成个人学习计划，其中包括上好教学计划和个别教学计划所规定的课程，独立完成教学大纲所规定的教学任务。”

新《教育法》第77条“对表现出杰出才能人员接受教育的组织”的规定，体现了俄罗斯近年来对智力超常儿童教育的关注。2008年俄罗斯联邦政府颁布的《2020年前俄罗斯联邦社会经济长期发展构想》，明确提出了建立保障儿童早期发展的教育服务体系，发现和支持天才儿童和青年人才成长是俄罗斯教育系统需要优先完成的任务。2010年，总统梅德韦杰夫批准的国家教育倡议书《我们的新学校》同样要求更新教育标准，支持天才儿童的发展。

新《教育法》第44条“未成年学生家长（法定监护人）的权利、责任和义务”第3款第6项规定：学生家长（法定监护人）有权获取学生的各类

调查信息（心理、教育心理调查），具有同意进行此类调查或参与此类调查，拒绝进行或拒绝参与此类调查，获取学生调查结果信息的权利。新《教育法》体现了尊重学生家长对学校教育的知情权、选择权、参与权、监督权等权利，让家长充分参与学校管理，对完善学校、家庭、社会三位一体的教育体系，营造良好的教育环境，促进中小学生的全面发展具有十分积极的作用。

新《教育法》第45条“学生和未成年学生家长（法定监护人）的权利保护”规定了建立受教育权问题争议调解委员会制度，其中包括在教育工作者的利益、地方性法规、给学生的纪律处分决定的申诉发生冲突的情况下如何进行调节。该条第3款规定，该委员会由相同数量的学生代表、未成年学生的家长（法定监护人）和教育组织的工作者组成。引入规范化和制度化的仲裁机制将是解决教育纠纷行之有效的重要举措，也是受教育权法律救济制度具体化的重要途径。

五、关于教育工作者的法律地位

新《教育法》第47条“教育工作者的法律地位。教育工作者的权利和自由及其保障”、第48条“教育工作者的责任和义务”详细阐明了教育工作者的教学权利和自由、责任和义务。其中，该条第1款第2—3项规定：“教育工作者有遵守法律、道德和伦理规范，遵守职业道德的义务。应尊重学生的荣誉和尊严。”第3条规定：“教育工作者禁止利用教育活动进行政治鼓动，强迫学生接受违背其意愿的政治信仰、宗教信仰或其他信仰，煽动社会、种族、民族或宗教仇恨，以及鼓动学生违反俄罗斯联邦宪法等行为。”将教师的职业道德列入教育基本法，对于加强师德建设，彰显师德规范对社会文明的示范作用和对教师修养的引导作用，具有十分重要的现实意义。

新《教育法》中包含了保障教育工作者工资水平的实际可操作条款。第99条“国家和地方教育服务的财政保障”第3款规定，市属教育组织教育工作者的劳动报酬不能低于俄联邦主体平均工资水准。新《教育法》关注地方基层教育工作者的生活保障和切身利益，对发展地方教育事业具有积极的促进作用。

新《教育法》第47条“教育工作者的法律地位。教育工作者的权利和自由及其保障”第5款规定，教育工作者有权减少工作时间；第6款规定，教育工作者的工作时间由其职务所决定，包括教学教育工作、与学生的个别工作、科学、创造性和研究工作，以及劳动职责和（或）个人计划所规定的其他教育工作。

六、关于学前教育

新《教育法》中增加了俄联邦主体对学前教育的统筹和责任。该法规定，学前教育经费同普通教育学校一样，由市政管辖区、城区地方自治机关和俄罗斯联邦主体国家权力机关分担。

新《教育法》第65条“家长（法定监护人）监护费用的收取”第2款规定：“提供教育服务的学前教育组织的创办人有权向家长（法定监护人）收取一定的孩子监护费用。”同时规定，政府按照俄罗斯联邦主体规范性法律文件所规定的金额给家长（法定监护人）相应的补偿，对第一个孩子不少于家长平均承担数额的20%，第二个孩子不少于50%，第三个及以上孩子不少于70%。

七、关于学校教育

新《教育法》第6条“联邦教育国家权力机关的权能”第2款规定：“联邦国家机关拥有保证联邦国家教育组织提供人人都可享受的免费的普通和中等职业教育的权利。”旧《教育法》规定，普通教育机构归市政管辖区、城区地方自治机关和俄联邦主体国家权力机关全权管理。表述方式的不同，体现了俄罗斯联邦教育管理由行政化向法制化转化的趋势。

新《教育法》第67条“按照基础普通教育大纲学习的录取工作的组织”第5款规定：“允许国立和市立初等和中等普通教育学科特色学校或专长学校，在俄罗斯联邦主体立法所规定的程序和条件下自主遴选学生。”新《教育法》体现了在保障义务教育的同时，加强对有天赋的学生的遴选和培养及国家普通教育阶段侧重专业教学的要求和理念。

八、关于补充教育和职业教育

新《教育法》规定儿童补充教育组织归市政管辖区、城区地方自治机关和俄罗斯联邦主体国家权力机关全权管理，进一步完善了儿童补充教育管理体制，强化了俄罗斯联邦主体的统筹责任。

新《教育法》第6条“联邦教育国家权力机关的权能”第4款规定：按中等职业教育教学大纲组织教学，学习费用由联邦预算拨款、俄罗斯联邦主体预算和地方预算分摊，人人都可享受。入学测试可以按拟学专业和职业进行，要求入学者具备一定的创造能力、身体素质和心理品质。新《教育法》进一步明确了中等职业教育经费的分担机制，扩大了受众范围，使中等职业教育成为人人皆可享受的普及教育。

旧《教育法》规定，补充职业教学大纲需经认可，而新《教育法》则未规定补充职业教学大纲需经认可。补充教育大纲审核权的下放，实际上折射出的是俄罗斯教育管理体制变革中“教育分权”的尝试。

新《教育法》的实施，对处于社会转型时期的俄罗斯教育来说，是一件具有深远意义的大事。它总结了二十年来俄罗斯教育发展与变革的经验和教训，对旧《教育法》作了全面的、重大的修改。新《教育法》与旧《教育法》相比具有以下特点：健全了教育经费的保障机制，加大了国家的分担比例；完善了教育质量独立评价机制；关注教育和就业市场间的关联性，加大了对中等职业教育的扶持力度，鼓励电化教学和远程教育的开发，关心特殊儿童的成长，在内容上更加丰富和具体；确立了教育工作者在社会中的特殊地位，制定了教师福利待遇的具体社会保障标准；进一步强化了教育优先发展的战略地位。

第三节　教育治理战略的目标和方向

为了推进俄罗斯教育改革，实现教育现代化的远景目标，2015年，俄罗斯联邦政府正式批准第497号决议，于2016 年1月1日正式实施《俄罗斯联邦2016—2020年教育发展目标纲要》（以下简称《纲要》）。《纲要》是俄罗斯联邦政府近五年教育发展的最高纲领性文件，也是今后一个时期制定国家教育政策的重要依据，反映出未来若干年俄罗斯教育改革的重要内容、方向和目标，透过对它的分析，有助于我们把握和了解俄罗斯教育改革的总体趋势和教育治理的战略方向。

一、目标与方向的设定

在《纲要》中，俄罗斯联邦政府提出了到2020年教育要达到的主要目标，即："保证与不断变化的公民需求和俄罗斯社会、经济长远发展任务相适应的高质量的俄罗斯教育，提高在创新型导向的国家发展中创新型人才培养的实行效率。"[①]

2006年和2011年，俄罗斯联邦政府曾颁布两个重要文件。在教育发展目标方面，《俄罗斯联邦2006—2010年教育发展目标纲要》强调"教育优先"，力图建立一个"有利于形成和谐发展的、有社会积极性的、有创新性个体的教育系统"。《俄罗斯联邦2011—2015年教育发展目标纲要》的主要目标是"通过建立教育领域新的宪法调节机制"使国家教育有法可依，在此基础上"更新教育结构和教育内容，培养社会需要的实用型人才，满足公民、社会和劳动市场对高质量教育的需求"[②]。通过比较可以发现，在前两个《纲要》的基础上，2016年《俄罗斯联邦2016—2020年教育发展目标纲要》的教育目标设定出现了较大调整。首先，教育目标设定更有长远眼光，重视教育发展要与"不断变化的公民需求和俄罗斯社会、经济长远发展任务相适应"。这在一定程度上有助于弥补俄罗斯教育改革的整体目标过于关注局部问题的缺欠。当然，如果没有此前的教育改革确立的教育系统和规范的教育治理体系为基础，这次改革目标设定的长远性也无从谈起。其次，目标

① 刘茂媛，高凤兰．国家复兴关键期俄罗斯教育改革的战略性方向规划——基于对《俄联邦2016—2020年教育发展目标纲要》的分析［J］．外国教育研究，2017（6）：68-81．

② Федеральные целевые программы развития образования на 2011-2015 годы [EB/OL]. [2011-03-09]. http: //rg. ru/2011/03/09/obrazovanie-site-dok. html.

指向性更为明显，它特别强调了创新型人才的培养是国家教育的神圣使命和最终目标。在目标框架下注重创新型导向，创新职业教育体系使之与市场经济、社会需求相一致，更新教育内容和信息技术手段，转变人才培养模式，使学生所学知识和实践技能要求相一致。创建消费者与社会机构参与的教育质量评估和监督机制，提升教育工作者社会威望，从而全面提高教育质量。在阐述上述总体目标的基础上，明确了教育改革的五大方向。

（一）大力发展灵活多样的职业教育体系，以满足劳动力市场需求

《纲要》提出要持续发展职业教育体系，持续培养社会需要的高质量的创新型实用人才，“尤其对俄罗斯经济技术现代化发展优先领域，如能源、核技术、战略性计算机技术与软件开发、医疗技术和制药行业、空间技术等领域提供人才保证和智力支持”[①]。鉴于俄罗斯教育系统与社会产业界的人才供需困境，俄罗斯政府在此次改革中着力完善连续职业教育体系，提高各级各类职业教育机构办学的灵活性和专业设置的多样性，根据社会对初中等职业教育、补充教育和高等职业教育的需求进行专业调整，重新对上述教育机构进行课程和教学内容的改革。初等职业教育要改变已有的培养模式，逐步向应用—技能型的短期教育模式转变，并将该教育模式延续至高等职业教育，争取为国家培养更多符合社会需求的创新型实用人才。此外，还要进一步提高职业教育机构中现代化基础设施的建设与管理水平，扩建校园、增建宿舍、改善校内教学实验场所条件等。在政府协调下，充分发挥社会团体、企事业单位、职业教育对口专业生产基地在连续职业教育发展中的作用，鼓励有一定经济实力的企事业、私人投资者创办各类职业培训机构，为国家培养各类专长的技能型人才。

（二）利用现代信息技术提升教育质量，促进教育公平

近些年来，持续的人口较低出生率给俄罗斯各层级教育都带来了新问题。其中，最主要的问题是学龄人口减少导致教育资源分配不均衡、配置成本高，教育质量问题与教育公平问题出现“并发症”。如何保障俄罗斯公

---

① Федеральные целевые программы развития образования на 2016−2020 годы [EB/OL]. [2015-12−20]. http: //government. ru/media/files/mlorxfXb?bCk. pdf.

民最大限度地享受到公平、优质的学前教育、普通教育和补充教育成为《纲要》要解决的问题之一。对此，多数俄罗斯学者与教育管理者倾向于借助现代教育技术解决此问题。例如，俄罗斯联邦教育与科学部副部长韦尼阿明·沙维克·卡冈诺维奇认为："信息通信技术对于促进教育公平和提升教育质量影响巨大，信息通信技术是促进教育公平的有效工具。"[①]《纲要》明确指出，要加强教学基础设施建设，建立合理有效的经济投入机制，不论任何居住地、任何家庭经济情况和任何健康状况的学生，都平等地享有接受高质量学前教育、普通教育、继续教育等的权利。教育行政部门要按照《纲要》规定的资金标准，为上述各类教育体系创建现代化的学习条件。在《纲要》实施期内，要大力发展网络互动学习平台等教育服务机构，最大限度扩大教育服务网络的覆盖范围，使教育惠及边远地区、困难家庭、健康状况不佳的受教育者。与此同时，要进一步完善现代教育管理组织和经济运行机制，有计划地对上述教育机构中的教学管理人员进行现代化办公技能的培训，以提高学前教育、普通教育、继续教育等各类教育体系的管理水平。将普通教育机构、中等职业教育和高等教育机构连接到统一的信息高速通道，整合教育资源，建立电子和在线库统一系统，创建完整的电子学习环境，从而提高现有公共教育资源的质量，开发新的教育方向和形式。

（三）发展个性化教育，转变人才培养模式

国民素质的整体提高离不开每个公民个体素质的提升。只有培养具有创新精神和独立个性的公民，才可以满足未来社会发展的需求，才能促进国家社会经济、文化和政治方方面面的不断进步，实现国家的繁荣富强。

自苏联解体以来，俄罗斯教育一直延续着传统的以应试教育为主的教育模式。20世纪末，个性化教育模式在俄罗斯逐步得到认可，它倡导在自由、开放的环境下增强学习者的自我分析、自我决策能力，让学习者有充分的条件去选择适合自己的发展方向，变被动为主动。

俄罗斯的个性化教育理念以开放性为主，即为学习者提供充分自由、和

---

① 吕伊雯，邵海昆，李广平．信息通信技术：促进教育公平的有效工具——访俄罗斯教育科学部副部长韦尼阿明·沙维克·卡冈诺维奇［J］. 世界教育信息，2015（23）：3-4.

谐的个性化教育环境，有针对性地培养学习者的才能，发展其潜力，这对于一个国家的发展来说有着深远的影响。在儿童阶段实行个性化教育的意义重大，如俄罗斯正在大力推行的“发现天才儿童计划”，通过发现儿童阶段具有的某些特长的学生并对其进行有针对性的专门培养，最后到大学进行深造学习，这对于俄罗斯教育资源和经费捉襟见肘的现实来说，无疑是以最小的成本实现培养专业化人才的捷径，同时，也有利于在儿童时期就可以发现人才，避免了人力资源的浪费。在成人阶段实施个性化教育同样具有十分重要的现实意义，可以让学习者按照自己的兴趣来选择学习内容和专业，由被动学习变为主动学习，人才的供需矛盾可以得到有效解决，人才培养质量和水平会得到进一步提高。因此，个性化教育与教育质量是密不可分的。

（四）制定教育质量监控标准，完善现代化教育质量评价体系

多年来，俄罗斯教育改革力图建立一个综合有效的教育评价机制，以期全面客观地评价各级各类教育机构和学生的综合质量，使教育最大限度地符合社会发展的要求。教育质量监督评价体系作为推动教育改革向前发展的动力体系，它既有教育功能又具有管理功能，是教育改革进程中不可或缺的要素。《纲要》指出：计划在2020年以前制定并全面实行国家教育质量监督评价标准。首先，完善和加强教育质量评估体系的基础设施建设，提供可以满足公民教育成绩数据存储的硬件。其次，实施相关人员认证制度，对专业人员技能水平和毕业生就业技能水平进行分别认证，建立实验分析评价网络和职业资格认证中心，培养2 000名具有质量评估资质的专家。再次，确保教育质量评估体系在联邦和地区层面的有效运行。在各教育层级中引入统一的国家毕业生鉴定机制，开发符合俄罗斯国情的教育检测指标信息采集系统，为教育决策提供数据支持。同时，还要充分考虑社会团体、企事业单位、对口就业单位的利益，提高它们在教育质量评估上的参与度。

（五）加强教师队伍建设，提升科研与创新水平

鉴于师资的重要性，《纲要》强调提升教师工资待遇、工作条件，建立一支稳定的、具有高质量教育水平的师资队伍，实现教育机构教师队伍的良性运转。《纲要》要求俄罗斯联邦政府各级相关部门投入资金切实提升教师的福利待遇水平，并通过建立合理的资金投入和分配体系，确保联邦国立和私立高等教育机构“到2018年使高校教师平均工资达到地区平均工资的200%”①，以及“2018年联邦职业教育机构教学工作人员和中等职业教育机构生产教学技师的平均工资达到所在地区平均工资”②。同时，确保国家普通教育、学前教育、儿童补充教育机构大多数教学工作人员的平均工资全部达到所在地区相应教育机构的平均水平，国家教育机构教育工作者的平均工资达到相应地区教师的平均水平。除此以外，还有必要改变目前不合理的教师队伍机构，重视青年教师的培养，改变目前青年教师队伍中高学历教师数量较少的现状，防止教师队伍老龄化加剧。

为提高高校教师的科研水平，根据《纲要》的规划，俄罗斯将出台相关的科研激励机制，让青年教师尤其是高学历（副博士以上）教师投入科研工作，改变青年教师待遇低、负荷重的状况，促其成为教学、科研的中坚力量。科研经费方面，在继续保证联邦预算支持院校科研金额的前提下，改变传统的科研经费来源全部由国家公共预算进行拨款的做法，消除长久以来存在的由于知识产权保护不力和经费配置不到位等因素给教师科研积极性不高的消极影响，鼓励拓宽科研经费来源渠道，通过论坛、学术会议等形式争取联邦和社会团体以及私人的资助，并通过竞争的方式有倾向性地进行经费投入，提高经费的使用效率。同时，加强与中国、日本、韩国以及欧洲邻国的学术交流，通过申请国外科研项目开展横向国际合作的方式解决科研经费不足的问题。

二、阶段性规划与保障机制

《纲要》的实施期限是2016—2020年，共分为两个阶段。

第一阶段为2016—2017年。这一阶段的主要任务是使公民享有接受优质教育的平等权利。工作的重点是探索各级各类教育机构有效发展的模式，同时进行大规模的教育改革与实践。该阶段采取的主要措施和完成的主要工

---

① Концепции долгосрочного социально-экономического развития РФ на период до 2020года（с изменениями и дополнениями）［EB/OL］.［2008-11-17］. http: //base. garant. ru/194365/.

② Об утверждении государственной программы Российской Федерации “Развитие науки и технологий” на 2013-2020годы［EB/OL］.［2014-04-15］. http: //base. garant. ru/70643478/#help.

作包括：第一，重点发展符合劳动力市场需求的连续职业教育体系，建设符合现代职业教育需求的基础设施，改善职业教育条件，引入和创新职业教育体系的经济管理与运行机制，提高职业教育水平。第二，推广先进的教育技术，建立基于信息技术和远程通信技术的新型教育管理模式。第三，全面制定和实行新的教育方案，转变重知识传授、轻素质培养的人才培养模式，创新并实施个性化人才教育。第四，制定教育评估标准，建立现代化教育质量监督评价体系，保证教育系统的信息透明度。第五，加强各级职业教育机构教师和管理人员再培训体系的建设，提高现有教师和工作人员的教育与管理水平，保证教育高质量运转。在以上工作的基础上，政府委托十所重点研究型大学承担上述教育改革的调研与规划任务，形成一批改革试点区域，确保俄罗斯教育的国际竞争力。第一阶段改革主要围绕公民享受高质量教育来开展，重点是将《纲要》中提及的五大战略方向由构想迈向初步实施阶段，在本阶段结束后，对第一阶段的改革效果进行评估，检验《纲要》中所制定的五个改革方向是否解决了之前几次改革中遗留的问题，为第二阶段的改革做好准备。

第二阶段为2018—2020年。这一阶段的主要任务：调整教育体系，为建立高质量、富有竞争力的教育体系提供人才和信息保障。这一阶段要完成的主要工作包括：第一，根据就业市场需求，继续加大对职业教育的投入，形成新的联邦职业技能、职业标准、技能认证体系框架。同时将发展较好的地区的先进经验普及到全国其他地区。第二，在俄罗斯联邦所有区域建立普通教育、补充教育和职业教育机构的现代化信息网络，实现规范化管理，在教学过程中有效利用信息技术所必需的一切程序资源。第三，制定个性化教育方案，提高学生自我教育有效性。第四，建立吸纳社会力量广泛参与的教育机构工作质量评价体系。第五，教育系统引入激励机制，教师和科研工作者的工资与工作质量挂钩，提高教师竞争力，增强教师职业吸引力。第二阶段改革的核心是保障，在对第一阶段改革成果进行评估的基础上，继续加大投入，完善相关机制，确保此次教育改革的完成。

俄罗斯联邦政府在《纲要》实施过程中主要采取以下两项保障机制：一是为教育改革加大投资力度，二是建立健全相应法律法规，为各教育体系的资金投入、教学管理、师资培训等提供法律保障。

（一）加大教育改革资金投入力度

首先，在《纲要》实施过程中，俄罗斯联邦政府采用由国家调控的直接支持与间接调节相结合的资金投入措施。直接支持主要是由国家提供的教育拨款，这其中包括学生助学金、农村教师的教学与科研经费（包括培训拨款），以及对孤儿、残障儿童提供的资金保障等。间接调节主要指教育体系的税收优惠措施。在国家支持的教育贷款、教育机构的公共服务费用、教育工作者福利经费等方面实施减免税政策，从而间接增加教育经费。根据2013年的统计，通过税收优惠政策，该年度的税收优惠总额为138.5亿卢布。[①]据测评，到2020年，预计将减免328.1亿卢布的税收收入。[②]

其次，《纲要》增加了教育体系投资预算，以保障职业教育领域内的高等职业教育专家的经费需要，也保证了学习者获得联邦法律规定的奖学金额度以及其他相关经费。《纲要》规定了相关经费用以实施培养和再培训计划，以提高师资和教育管理人员的各项技能，用于更新硬件设施，如实验室和宿舍等，从而改善教学条件，保障更多家庭困难学生及残障儿童进入学校学习一技之长，并服务社会。《纲要》实施五年内，经费投入总额将达到1 129.871亿卢布。[③]在这一过程中，一方面，俄罗斯联邦政府加大教育投入力度以改善现有办学条件；另一方面，各级教育行政机构还要保证国家的教育投资得到有效运用。

（二）建立健全相应法律法规

首先，根据《纲要》规划，俄罗斯更新了学前教育、职业教育、普通教育的标准，规范上述教育机构的教学实践管理体系、网络教学、数字化教学以及远程教育教学等。俄罗斯联邦教育与科学部制定了相关法律法规以保障

---

① Государственная программа «Экономическое развитие и инновационная экономика» [EB/OL]. [2013-03-29]. http: //government. ru/programs/225/events/.

② Концепция развития образования РФ до 2020 г. [EB/OL]. [2015-02-05]. http: //edu. mari. ru / ou_respub/sh14/commondocs.

③ Федеральные целевые программы развития образования на 2016-2020 годы [EB/OL]. [2016-02-06]. http: //government. ru/media/files/mlorxfXbbCk. pdf.

各教育机构的教育教学内容、教育教学管理条例、社会监督系统等相关信息公开化；制定法规确保各教育系统部门之间的相互合作，其中包括整合教育机构制定的各项法规，依据法规修改现有教学和科学工作人员的工资待遇，实行聘用合同制。《纲要》引入联邦教育质量评价体系和针对不同教育层次人群的教育质量外部评价机制，对教学质量进行动态监控。俄罗斯联邦政府认为，上述经济措施、法规保障措施、法律政策措施等无法单独发挥作用，需要教育系统内部、社会各界相互联系、相互配合、多管齐下，共同为教育发展提供强有力的保障。

其次，《纲要》要求落实国家在教育体系中所实施的经济措施，制定并实施各项法律法规，确保到2020年“3—7岁儿童学前教育的普及率达到100%”[①]。到2018年，所有在学前教育机构学习的儿童享有国家学前教育标准规定的权利。根据普通教育质量国际对比研究成果（国际阅读素养、国际数学与科学学生评估等项目）改善俄罗斯学生的学习效果，缩小毕业生之间的教育水平差距，“提高5—18岁儿童和青少年接受补充教育的比例，确保到2020年达到该年龄段儿童的70%—75%”[②]。

最后，为了提升教育政策制定的科学性，《纲要》强调吸纳社会团体、企事业单位、用人单位、家长等社会力量参与。此外，俄罗斯对教育改革的透明度和民主性的追求均明显超出此前。

三、预期效果

第一，在职业教育体系内，各级各类职业教育办学机构的灵活性和专业设置的多样性大幅增强。在高等教育和中等职业教育领域，新的联邦教育标准最终得以确定，“使至少20万人次在50个需求量最大和最有潜力的职业领域接受并完成培训，举办并推广国际和全俄中等职业教育和高等教育职业技能竞赛，200个俄罗斯联邦科技发展优先领域的补充职业教育项目获得批

---

① Об утверждении государственной программы Российской Федерации “Развитиенаукиитехнологий” на 2013–2020годы [EB/OL]. [2014-04-15]. http: //base. garant. ru/70643478/#help.

② Стратегии инновационного развития РФ на период до 2020г [EB/OL]. [2011-12-19]. http: // www. garant. ru/products/ipo/prime/doc/70006124/.

准；建立不少于500个可以颁发职业资格证书的职业技能中心”[①]；确保每年超过半数适龄劳动者接受继续教育，并取得职业技能证书，“100个继续职业教育创新项目获得支持”。高年级学习者均有机会接受包括企业实践教学和职业技能培训在内的创新教育项目。“不少10万人次接受创业教育”，创业教育方案得以制定与实施，创业活动得到大力支持，“60%以上的企业和组织设立包括培训、进修在内的员工发展项目”，工作技能培训经费大幅增加，小企业快速发展。

第二，《纲要》重点关注了由于家庭困难、身体残疾、无家可归而难以完成学业的儿童群体，在国家资金的资助下，上述儿童将获得便捷的学习条件，并借助网络技术手段得以习得一技之长而服务社会。区域网络信息资源中心最终建成，有特殊需要的儿童通过远程网络课程学习的方式获得学习机会，在最新的网络通信技术与教育技术相结合中受益。《纲要》明确规定，“5—18岁儿童和青少年接受免费的补充教育服务比例不低于60%，不低于12%的大学生获得教育贷款”，保证每个学习者接受现代化教育的权利。

第三，在人才培养方面，各级教育机构注重培养实用型人才，将初级职业技能、中等职业技能和高等职业技能的人才培养作为各级各类职业教育机构的教学目标，重新进行课程和教学内容的改革。鼓励有一定经济实力的企事业单位、私人投资者兴办各类职业培训机构，为国家培养各类技能型人才。学生的个性化发展得以体现，学生根据兴趣爱好选择适合自己发展的专业。《纲要》明确要求，“具有世界级先进水平的科学研究和教育中心不少于20个，现代大学城和天才儿童中心不少于10个”，通过智力和创意比赛，天才型儿童的发现机制得以建立，使有才华的学生升入重点大学进行深造。

第四，在完善教育质量评价体系方面，建成对教学进行动态监控的电子信息库。相关人员认证制度得到实施，可以对专业人员技能水平和毕业生就业技能水平分别进行认证，建成实验分析评价网络和职业资格认证中心。教育服务的社会参与度大幅提升，公民、社会广泛参与和监督的教育质量评价

---

① Федеральные целевые программы развития образования на 2016-2020 годы [EB/OL]. [2016-02-06]. http: //government. ru/media/files/mlorxfXbbCk. pdf.

机制逐渐形成。

第五，在提升师资力量水平方面，通过与教育发达国家和地区签署协议，教师获得短期培训、交流访问等个人发展机会，逐步弱化课题申报和跨国学术交流的政治审查，逐渐放宽教师个人学术交流的制度环境。政府加大对教育的投资力度，社会力量、各企事业单位为国家教育发展提供最大程度支持，师资力量水平、教师待遇大幅提升。

《纲要》对俄罗斯教育提出了战略性方向规划，将“创新型人才”的培养作为教育发展的总目标。在创新型导向的教育发展中，俄罗斯联邦政府将坚持各层次教育人才培养模式的革新，加快创建与之相适应的学位体系，同时增加教育体系科研经费及相关经费的投入，更新教育机构经费运行机制以适应创新发展任务。在俄罗斯大国复兴的宏大战略中，教育再次被赋予基础性地位，教育体系的现代化不仅被视为经济快速增长和社会发展的基础，也是形成创新经济的必要条件，更是实现公民人生价值、社会公平和政治稳定的决定性因素。

结语

近几年来，俄罗斯联邦政府认识到保持国家教育政策的连续性对于国家教育发展的重要意义，在革新与传统之间建立了新的平衡，既大胆创新，突破旧体制、旧框架的约束，又建设性地吸收过去教育体制中的优点和积极因素。

世界上没有哪个国家像俄罗斯那样，国家行政管理的集权原则如此牢固地扎根于传统中。如果追溯源头，俄罗斯集权的教育管理体制已经运行了两百多年，两百多年的历史积淀足以形成厚重的传统和惯性。俄罗斯联邦政府既认识到国家垄断、官僚主义的中央集权管理制度不适应现实需要，也认识到俄罗斯深厚的集权传统难以避免。因此，教育管理制度的改革，应避免滑向叶利钦时代的极端倾向，继续走教育分权的路线，同时又强调发挥国家的宏观调控作用。

构建开放的教育体系，满足消费者的需求，发展国家—社会公共管理模式等，是俄罗斯教育分权战略未来的发展方向。新的教育模式与旧的教育模式的差别在于教育体系的真正开放，教育体系能够与个体、社会机构和部门进行网络式互动。教育体系向其他体系，如大众传媒、商业公司、个性化补习、科研机构和社会组织开放。这些体系针对教育大纲和教育服务提出建议，参与划分教育领域的社会资金。落实这种开放性的教育管理模式需要实施新的管理机制。

首先，国家在教育领域将扮演新的角色，从显性的居高临下的控制者转变为为不同教育供需主体提供畅通无阻、有效互动的调节者。减少国家对所有层次教育过程整齐划一、事无巨细的行政管理，强化国家作为教育活动调节者和资金提供者的功能。

其次，强化教育领域“满足消费者需求”的理念。

再次，扩大学校的自治权，同时增强学校的责任感。俄罗斯计划在2020年前将大部分教育机构打造成自治性的机构，特别是要扩大教育机构的财政自主权，允许其更加灵活地使用资源，同时强化学校作为自治机构为教育结果承担责任的意识。

最后，加强社会管理是实施教育分权非常重要的一个走向，让社会团体积极参与教育管理成为教育管理体制改革的重要任务。监督委员会、督学委员会、学校委员会和管理委员会等社会管理机构不仅在学校层次，而且在市一级，甚至地区一级参与教育管理工作，并进行教育质量监控。俄罗斯计划在2020年前实现教育领域的国家—社会共治，教育机构不仅要接受教育质量及教育服务需求评价，还要重视与企业的合作，特别是在职业教育领域，强调由企业主参与制定教育法律法规，制定专业培养目录，拟定国家教育标准，参与教育质量监控等重要教育过程。俄罗斯面向知识经济和创新经济的转型，决定了教育的社会化运作方式。

参考文献

中文文献

[1] 爱弥尔·涂尔干．教育思想的演进[M]．李康，译．上海：上海人民出版社，2003.

[2] A.M.普罗霍罗夫.苏联百科词典[M].丁祖永等，译.北京：中国大百科全书出版社，1986.

[3] 吴式颖．俄国教育史——从教育现代化视角所作的考察[M]．北京：人民教育出版社，2006.

[4] 滕大春．外国教育通史：第 4 卷[M]．济南：山东教育出版社，1992.

[5] 瞿葆奎．教育学文集·苏联教育改革：上册[M]．北京：人民教育出版社，1993.

[6] 北京师范大学外国教育研究所．苏联高等和中等专业教育法令汇编[M]．北京：北京师范大学出版社，1984.

[7] 高金岭．俄罗斯基础教育[M]．广州：广东教育出版社，2004.

[8] 肖甦，王义高．俄罗斯教育 10 年变迁[M]．北京：北京师范大学出版社，2003.

[9] 肖甦，王义高．俄罗斯转型时期重要教育法规文献汇编[M]．北京：人民教育出版社，2009.

[10] 时月芹．俄罗斯教育行政管理体制的变革[J]．大学研究与评价，2008（9）：45–49.

[11] 姜晓燕，赵伟．俄罗斯基础教育[M]．上海：同济大学出版社，2015.

[12] 徐长发．中俄典型地区职业教育调查与比较分析[M]．北京：教育科学出版社，2010.

[13] 刘启娴．转型期俄罗斯职教改革的方向与进程[J]．全球教育展望，2001（2）：64–66.

[14] 吴雪萍，陈炯奇．俄罗斯职业教育管理体制改革探析[J]．比较教育研究，2007（11）：49–54.

[15] 符娟明．比较高等教育[M]．北京：北京师范大学出版社，1987.

[16] 李春生．比较教育管理[M]．南京：江苏教育出版社，2008.

[17] 黄福涛 . 外国高等教育史[M]. 上海：上海教育出版社，2003.

[18] 肖甦，王健红.试析俄罗斯联邦教育督导制度新变化[J].比较教育研究，2007（7）：7-11.

[19] 王森 . 俄罗斯联邦《教育法》中教育法律规范的新变化[J] 外国中小学教育，2013（12）：1-7.

[20] 王森 . 俄罗斯基础教育改革中的社区学校模式研究[J]. 比较教育研究，2018（2）：61-67.

[21] 全球治理委员会 . 我们的全球伙伴关系[R]. 牛津：牛津大学出版社，1995.

[22] 李玉静，谷峪 . 国际职业教育的治理理念与实践策略[J]. 职业技术教育，2014（31）：78-83.

[23] 刘复兴 . 教育政策的边界与价值向度[J]. 清华大学教育研究，2002（1）：70-77.

[24] 刘金花 . 俄罗斯职业教育质量的政府评估与社会评估：起源、模式及关系[J]，外国教育研究，2017（8）：51-62.

[25] 约翰·布伦南 . 高等教育质量管理——一个关于高等院校评估和改革的国际性的观点[M]. 陆爱华，译 . 上海：华东师范大学出版社，2005.

[26] 刘淑华 . 俄罗斯高等教育分权改革研究[M]. 北京：光明日报出版社，2010.

[27] 刘淑华，刘欣妍.走向治理：俄罗斯高等教育内部管理体制变革取向[J].比较教育研究，2015（2）：19-23.

[28] 卢永库，李家宝，葛鸿翰 . 苏联高等教育与社会政治、科技进步和国民经济发展相结合的特点[J]. 黑龙江高教研究，1989（4）：125-129.

[29] 张男星 . 俄罗斯高校改革的市场取向分析[J]. 高等教育研究，2001（5）：104-107.

[30] 吕子燕.俄中高等教育领域国家-社会联合组织的比较研究[D].哈尔滨：哈尔滨工业大学，2007.

[31] 顾淑霞 .90 年代以来俄罗斯重要的高等教育会议[J]. 比较教育研究，2001（2）：62-63.

[32] 吴明海 . 中外民族教育政策史纲[M]. 北京：中央民族大学出版社，2006.

[33] 左凤荣.苏联处理国内民族问题的经验教训[J].民族社会学研究通讯，2011（3）：4-5.

[34] 陈联璧.俄罗斯民族关系理论和政策的变化[J]. 东欧中亚研究，1999（1）：32-38.

[35] 别勒古洛夫 A. Ю. 俄罗斯民族地区教育体系的形成与发展[M]. 阿依提拉·阿布都热依木，译 . 北京：社会科学文献出版社，2014.

[36] 姜晓燕 . 俄罗斯教育 20 年：变革与得失[J]. 比较教育研究，2010（10）：16-21.

[37] 刘淑华 . 俄罗斯教育战略研究[M]. 杭州：浙江教育出版社，2014.

[38] 肖甦 . 评俄罗斯三位总统的教育政策与改革特征[J]. 比较教育研究，2011（10）：22-27.

[39] 刘茂媛，高凤兰 . 国家复兴关键期俄罗斯教育改革的战略性方向规划——基于对《俄联邦 2016—2020 年教育发展目标纲要》的分析[J]. 外国教育研究，2017（6）：68-81.

[40] 吕伊雯，邵海昆，李广平 . 信息通信技术：促进教育公平的有效工具——访俄罗斯教育科学部副部长韦尼阿明·沙维克·卡冈诺维奇[J]. 世界教育信息，2015（23）：3-4.

俄文文献

[1] А. А. Пинский. Общественное участие в управлении школой. Школьные советы [M]. М.：Альянс Пресс，2004.

[2] Адриан，Бентабет Э，Винокур А.Белая книга российского образования [M]. Москва：Изд-во МЭСИ，2000.

[3] Нет смысла проверять знания школьной программы дважды [EB/OL]. [2006-07-25]. http: //www. Vestnik. edu.ru/bolotov3.html.

[4] Структула Федеральной службы по надзору в сфере образования и науки（РОСОБРНАДЗОР）[EB/OL]. [2006-08-15]. http: //www.obrnadzor.gov.ru/struktura_FS.

[5] Материалы к выступлению Министра образования и науки Российской Федерации Фурсенко А на заседании итоговой коллегии Минобрнауки России 19 марта 2011 года [EB/OL]. [2011-03-23]. http: //www.edu.ru/.

[6] Днепров Э. Д. Современная школьная реформа в России [M]. М.：Наука，1998.

[7] Дмитрий Медведев утвердил инициативу «Наша новая школа» [EB/OL]. [2010-01-21]. http: //www. kremlin.ru/events/president/news/6683.

[8] Национальная образовательная инициатива «Наша новая школа» [EB/OL]. [2010-02-04]. http: //минобрнауки.рф/документы/1450.

[9] Закон города Москвы от 10.07.96 N 26-77 О территориальном общественном самоуправлении в городе Москве [EB/OL]. [2017-10-19]. http: //base.garant.ru/309500/.

[10] Валюшицкая И. В, Максименко Н. А, Насонова Е. В, Фомина Е. Ю.Российская модель ОАШ [R]. КРМОО Центр "Сотрудничество" г. Красноярск, 2004.

[11] Гончаров М. А, Шкуров А.Ю. Государственно-общественное управление образовательной организаций и модель общественно-активной школы: открытая педагогика сотрудничества [J].Наука и школа, 2017, 22 (3) : 60-67.

[12] Корнетов Г. Б. Феномен общественно активной школы в контексте развития демократической педагогики [M]. М.: АСОУ, 2009.

[13] Антонова Э. Е, Антонян Л. К, Тривайлова С.В. Практическая реализация модели ОАШ. Сочинский опыт [M]. Сочинская городская детская общественная организация «Эдельвейс», Центр «Общественно-активная школа» , 2003.

[14] Моргунова О. А. Воспитание патриотизма через научно- исследовательскую деятельность учащихся ОАШ [C]//Реализация модели общественно-активной школы в образовательном пространстве г. Омска (Сборник статей по материалам городской конференции) , 2003.

[15] Иванова О. Ю. Проект « Я–гражданин России»: активизация жителей микрорайона [EB/OL]. [2017-07-23]. http: //oash.info/library/view/480.

[16] Ложкина М. С. Программа«Флешмоб–интерактивная форм асоциализации школьников » [J] . Сотрудничество, 2016, 26 (4) : 12-14.

[17] Корнетов Г. Б. Российская модель общественно активной школы [J]. Школьные технологии, 2014, 15 (6) : 69-75.

[18] Чеглакова Л. М. Оценка проекта «Общественно-активные школы в России: объединяем усилия» [R]. Самара: Центр «Социальная механика», 2008.

[19] Приказ Минобрнауки России от 17 декабря 2010 года № 1897 «Об утверждении и

введении в действие федерального государственного образовательного стандарта основного общего образования» [EB/OL]. [2015−06−26]. http: //минобрнауки.рф/документы/543.

[20] Верховный Совет Российской Федерации. Российская Федерация закон об образовании [EB/OL]. [2015−11−19]. http: //www.rg.ru/2012/12/30/obrazovanie−dok.html.

[21] Министерство образования и науки Русской Федерации. Об утверждении Положения о лицензировании образовательной деятельности [EB/OL]. [2015−11−28]. http: //www.rg.ru/2011/03/23/license−obr−site−dok.html.

[22] Йошкар Ола. Информационно−методическое сопровождение государственной аккредитации учреждений среднего профессионального образования [EB/OL]. [2015−12−27]. http: //www.rostr.net/index.php/normative−docsquality−system/99−info−metod.

[23] В. П. Максимов, Н. С. Вашакидзе, А. Ф. Гулевская. Современные средства региональной системы оценивания качества образования: учебное пособие [M]. Южно−Сахалинск: изд−во СахГУ, 2011.

[24] А. В. Белокопытов. Зачем нужна независимая внешняя оценка качества образования [EB/OL]. [2016−01−04]. http: //pedsovet.org/content/view/16331/530/.

[25] Минобрнаука РФ. Положение о формировании системы независимой оценки качества профессионального образования [EB/OL]. [2016−02−19]. http: //www.zaki.ru/pagesnew.php?id=60975.

[26] Методические рекомендации по проведению независимой системы оценки качества работы образовательных организаций [EB/OL]. [2016−04−07]. http: //sinncom.ru/content/avmk/doc/index_ metrek.htm.

[27] Федеральный закон от 29 декабря 2012 г. № 273−ФЗ. Об образовании в Российской Федерации [EB/OL]. [2016−04−09]. http: //xn—80abucjiibhv 9a.xn —p1ai/документы/2974.

[28] Васильев Ю .С, Глухов В. В, Федоров М. П. Экономика и организация управления вузом [M]. Москва: СПб: Издательство “Лань”, 2004.

[29] Министерство образования и науки Российской Федарации. Государственная программа Российской Федерации “Развитие образования” на 2013—2020 годы [R]. Москва：Минобрнауки России，2012.

[30] Типовое положение об учебно—методическом объединении высших учебных заведений Российской Федерации [J]. Бюллетень министерства образования Российской Федерации，1997（7）：21–24.

[31] Устав Российского Союза Ректоров [EB/OL]. [2007–06–07]. http: //rsr— online.ru/documents.htm.

[32] Решение Российского Союза ректоров [J]. Бюллетень министерства образования Российской Федерации，1993（8）：23–24.

[33] VI съезд Российского Союза ректоров [J]. Бюллетень министерства образования Российской Федерации，2001（1）：25–29.

[34] VII съезд Российского Союза ректоров [J]. Бюллетень министерства образования Российской Федерации，2003（1）：15–24.

[35] VIII съезд Российского Союза ректоров [J]. Бюллетень министерства образования Российской Федерации，2006（8）：18–23.

[36] IX съезд Российского Союза ректоров [J]. Бюллетень министерства образования Российской Федерации，2006（8）：36–41.

[37] М. Н. Кузьмин. К вопросу о разработке Концепции федеральной этнонациональной образовательной политики Российской Федерацтии 2004 [EB/OL]. [2005–11–04]. http: //www. tataroved.ru/obrazovanie/conception/.

[38] Белогуров А. Ю. Становление и развитие этнорегиональных образовательных систем в России на рубеже XX XXI веков [M]. М.：2003.

[39] Федеральные целевые программы развития образования на 2011–2015 годы [EB/OL]. [2011–03–09]. http//rg.ru/2011/03/09/obrazovanie–site–dok.html.

[40] Федеральные целевые программы развития образования на 2016–2020 годы [EB/OL]. [2015–12–20]. http//government.ru/media/files/mlorxfXb?bCk.pdf.

[41] Концепции долгосрочного социально–экономического развития РФ на период до 2020 года（с изменениями и дополнениями）[EB/OL]. [2008–11–17]. http: //base.garant.

ru/194365/.

[42] Об утверждении государственной программы Российской Федерации “Развитие науки и технологий” на 2013−2020годы [EB/OL]. [2014−04−15]. http: //base.garant.ru/70643478/#help.

[43] Государственная программа«Экономическое развитие и инновационная экономика» [EB/OL]. [2013−03−29]. http: //government.ru/programs/225/events/.

[44] Концепция развития образования РФ до 2020 г. [EB/OL]. [2015−02−05]. http: //edu.mari.ru /ou_respub/sh14/commondocs.

[45] Стратегии инновационного развития РФ на период до 2020г [EB/OL]. [2011−12−19]. http: //www.garant.ru/products/ipo/prime/doc/70006124/.

后　记

自从开启俄语学习之旅，我便与俄罗斯这个国度结下了不解之缘。对俄罗斯教育的关注，始于硕士研究生学习阶段。围绕俄罗斯教育议题开展专门研究，准确地说，应该是在东北师范大学国际与比较教育研究所攻读博士学位期间。2013年6月，完成博士学位论文《俄罗斯教育现代化区域推进模式研究》；2008年6–7月，经导师张德伟教授引荐有幸得到首都师范大学教育科学学院王长纯教授首肯参与撰写大部头学术著作《教师教育思想史研究》（2016年2月出版）“俄罗斯教师教育思想史研究”部分；在由张德伟教授研究设计、东北师范大学国际与比较教育研究所部分博士生、硕士生共同承担的《东北亚区域教育比较研究》一书中，作为俄罗斯教育的持续关注者和研究人员，本人与哈尔滨师范大学斯拉夫语学院李雅君教授（东北师范大学国际与比较教育研究所2015级博士生）责无旁贷地贡献了自己一分力量。

也许正是由于这十年之久的俄罗斯教育研究经历和经验，才使得我有机会受邀成为“全球教育治理研究系列”丛书之《俄罗斯教育治理研究》的撰稿人。对于我个人而言，这是第一次尝试独立撰写学术著作。如果没记错的话，我大概是在2016年3月被“找到”的，当时尽管我深知自己工作的繁杂并不一定能够保证本书研究和写作的顺利推进，但在同华中师范大学教育学院王建梁教授通话确认时，我还是坚定地应承下来。博士毕业后的三年时间里，我一直忙于研究所学科建设和研究生培养工作，游离于俄罗斯教育研究领域之外真是有些时日了，这让我很是惶恐！

本书的研究和写作过程可谓一波三折。最初是参照丛书总体框架拟定目录和提纲，希望能够保证框架与思路上的整体性。但在搜集和研读资料的过程中深感于俄罗斯教育治理演变的“独特性”，同时也是基于之前研究经历而形成的对于这个国家的自我体察，后经几番讨论后还是在篇章结构上做了调整，但是从书撰写所要求必须反映的内容和观点都是有所体现的。例如，在本书的目录中似乎并未设置专章来谈“成效与问题”和“经验与启示”，但只要读者大致浏览一下各篇章内容，对此应该是会有所感悟的。本书研究的难点在于对“教育治理”含义、特征的准确把握，特别是与具有“民族性”的国家实践相结合，这在研究和写作之初直接导致了某些认识上的偏差和资料运用不当。再者，在搜集和获取本书写作支撑材料时走了弯路。2017年年末，我寻求在莫斯科大学求学的同校学友帮忙找到了一些俄罗斯本土学者写就的相关研究著作，迅速组织了几位有经验的硕士生开展翻译工作，待细细品读后发现它们并不能为本书的写作“添砖加瓦”。之后我反思了一段时间，认为还是应该先对研究主题有清晰的认识，然后再组织材料撰写。就这样一路磕磕绊绊，对书稿进行了多次反复修改，历经两年时间终于在2018年8月完成。除了如上所言原因种种，工作上和生活中的牵绊也真是“拦路虎”啊！

言至于此，要感谢丛书发起人周洪宇教授的鼓励和支持，特别是王建梁教授自始至终所给予的引导、反馈和建议，意外的收获更在于是他将我带入了一片新的学术天地。湖北教育出版社的编辑为本书付出了辛勤劳动，他们所给予我的理解、宽容和帮助尤为令我感动。最后，也一并向那些为我提供过无私帮助的所有朋友致以深深的敬意！

书稿虽已完成，但在繁忙中回顾过往还是感到有许多缺陷和不足。诚恳希望读者不吝赐教，鞭策我继续前行探索。

乔桂娟

2019年1月9日